Your
Italian
Vocabulary Guide
for GCSE

Ian McKeane
in association with
Val Levick
Glenise Radford
Alasdair McKeane

Titles available
from
Malvern Language Guides:

French	German	Spanish	Italian
Vocabulary Guide	Vocabulary Guide	Vocabulary Guide	Vocabulary Guide
Speaking Test Guide	Speaking Test Guide	Speaking Test Guide	Speaking Test Guide
Grammar Guide	Grammar Guide	Grammar Guide	Grammar Guide
French Dictionary	German Dictionary		
Mon Echange Scolaire	Mein Austausch	Mi Intercambio Escolar	
Ma Visite En France			
Key Stage 3 Guide	Key Stage 3 Guide	Key Stage 3 Guide	
CE 13+ French			
Standard Grade French			

(Order form inside the back of this book - photocopy and return)

CONTENTS

Please note the following points:

- * These verbs take **essere** in the perfect and other compound tenses

- *irreg* These verbs or adjectives are irregular and must be learned

- § These verbs are broadly regular in pattern, but have variations in some tenses

- **(isc)** These third conjugation verbs insert **-isc** in the present indicative, present subjunctive and imperative (1st, 2nd and 3rd person sing. and 3rd person plural only)

- If an adjective or a noun has a regular feminine form, then usually only the masculine form is given. Adjectives ending in **-e** in the singular are both masculine and feminine

- If a noun has a different feminine form, then the masculine is shown followed by the feminine form

- l' The gender of nouns is given only when the noun is preceded by the definite article l'

- Some common words appear in more than one list if they could be used in more than one situation. Page references are made at the end of sections to indicate other words which might be useful to the topic

- *coll* This shows colloquial usage

- *inv* invariable

- Some words or expressions do not have an exact Italian equivalent. In such cases the nearest equivalent is given.

LA SCUOLA

La scolarizzazione School attendance

la scuola (pubblica)...... (state) school
la scuola materna......... nursery school
la scuola elementare..... primary school
la scuola elementare privata.. prep school
la scuola media........... secondary school
la scuola privata.......... public school
il collegio .... boarding school
il liceo .... sixth form college

la scuola materna......... reception class
la prima e la seconda ... year 1 and 2
la terza e la quarta........ year 3 and 4
la quarta e la quinta ..... year 4 and 5
la prima (media) .... year 6

essere* in seconda media. to be in Year 7
essere* in terza .... to be in Year 8
essere* in quarta ginnasio to be in Year 9
fare la quinta ginnasio...... to be in Year 10
fare la prima liceo........... to be in Year 11
essere* in seconda liceo... to be in Year 12
essere* in terza liceo........ to be in Year 13

Le persone   People

l'allieva (f) .... pupil
l'allievo (m) .... pupil
l'allievo di scuola senza convitto(m)
.... day-boy
l'assistente (m, f) .... student supervisor
l'assistente di lingue (m, f)
.... language assistant
la bidella..................... caretaker
il bidello .... caretaker
il, la collegiale .... day pupil
la compagna di classe .. classmate
la compagna di scuola.. school friend
il compagno di classe... classmate
il compagno di scuola.. school friend
il consigliere di orientamento professionale
.... careers officer

la consigliera di orientamento professionale
.... careers officer
il convittore................ boarder
la convittrice .... boarder
il, la corrispondente..... partner (exchanges)
l'economo (m)............. bursar
il, la ginnasiale .... pupil at a ginnasio
l'infermiera (f) .... matron
l'insegnante (m, f) .... primary school teacher
il, la liceale................. pupil at a liceo
il, la preside................ headteacher
il, la prof *coll*.............. teacher
il professore................ teacher
la professoressa .... teacher
lo scolaro.................... schoolboy
la scolara .... schoolgirl
la segretaria .... secretary
lo sgobbone *coll* .... swot

L'edificio scolastico
The school complex

l'area (f) di ricreazione ... playground
l'aula (f) .... classroom
l'aula (f) per assemblea ... assembly hall
la biblioteca................ library
il campo da tennis........ tennis court
il campo di calcio .... football pitch
il centro di documentazione (m)
.... resources centre
il corridoio .... corridor
il dormitorio............... dormitory
l'infermeria (f) .... sick bay
il laboratorio.............. workshop, laboratory, studio
il laboratorio di lingue . language lab
la mensa .... canteen
la palestra................... gym
la piscina.................... swimming pool
il refettorio .... dining-hall
la sala dei professori .... staffroom
la sala di ricreazione.... covered play area

la sala di lettura .... study room
la sala per gli allievi ..... pupils' common room
gli spogliatoi .... changing rooms
l'ufficio (m) .... office

L'anno scolastico   The school year

l'apprendimento (m) .... learning
l'insegnamento (m) ...... teaching
l'istruzione (f) .... education
l'orario (m) .... timetable
il rientro delle classi .... start of school year
lo scambio scolastico ... school exchange
la settimana .... week
il trimestre .... term
la vacanza di febbraio .. February half term
                    holiday
la vacanza di metà trimestre
               autumn half term holiday
la vacanza invernale..... February half term
                    holiday
le vacanze di Natale ..... Christmas holidays
le vacanze di Pasqua .... Easter holidays
le vacanze estive .... summer holidays

La giornata scolastica   The school day

l'adunanza (f) del mattino..... assembly
i compiti .... homework, prep
il giorno .... day
la giornata .... day
l'intervallo (m) .... break
la lezione .... lesson
il mattino .... morning
il pasto di mezzogiorno ... midday meal
la pausa del mezzogiorno. dinner hour
il pomeriggio .... afternoon

La divisa scolastica
School uniform

i calzini .... socks
la camicetta .... blouse
la camicia .... shirt
il collant .... pair of tights

la cravatta .... tie
la giacca blazer .... blazer
il gilet .... waistcoat
il golf .... cardigan
la gonna .... skirt
la maglia .... pullover
i pantaloni .... pair of trousers
le scarpe .... shoes
il vestito .... dress
For colours see Page 29

Come vieni a scuola?
How do you get to school?

in auto .... by car
in autobus.................. by bus
in bicicletta................ by bicycle
in bus .... by bus
nel bus della scuola ..... by school bus
in macchina............... by car
in metropolitana .... by underground
a piedi .... on foot
in tram...................... by tram
in treno..................... by train

la fermata d'autobus.... bus stop
la stazione .... station
la stazione di metropolitana...tube station
la stazione di pullman.. coach station

Quando arrivi?   When do you arrive?

presto .... early
puntualmente.............. on time
in ritardo .... late (for appointment)
tardi.......................... late (not early)
For clock times see page 94

In aula   In the classroom

l'armadietto (m) .... locker, pigeon hole
l'armadio (m) .... cupboard
la cattedra.................. teacher's desk
le cuffie..................... headphones
la finestra .... window

il gesso .... chalk
la lavagna .... (black/white) board
la lavagna luminosa ..... overhead projector
il microfono .... microphone
il muro .... wall
l'ordinatore (m) .... computer
il pavimento .... floor
il permesso .... permission
la porta .... door
il registratore .... tape recorder
il registro .... register
lo schermo .... screen
la sedia .... chair
il soffitto .... ceiling
la spugna .... sponge
lo strofinaccio .... duster
la tavola .... table
il videoregistratore .... video recorder

l'autorizzazione (f) ...... permission
la calligrafia .... handwriting
i compiti .... homework, prep
il compito .... exercise, piece of work
il compito d'italiano .... Italian homework
il dialogo .... dialogue
il dibattito .... debate
l'errore (m) .... mistake
l'esempio (m) .... example
l'esercizio (m) .... exercise
l'estratto (m) .... extract, excerpt
la fila .... row
la frase .... phrase, sentence
la grammatica .... grammar
l'insegnamento (m) ...... teaching
l'istruzione (f) .... education
la lettura .... reading
la linea .... line
la lingua .... language
l'ortografia (f) .... spelling
la pagina .... page
la parola .... word
il problema .... problem

il progetto .... project
la regola .... rule; ruler
il riassunto .... summary
la risposta .... reply, answer
il risultato .... result
la scheda di valutazione ... school report
il silenzio .... silence
il simbolo .... symbol
il tema .... essay
il tempo .... time
la traduzione .... translation
il vocabolario .... vocabulary

Il materiale scolastico
Classroom equipment

il bastoncino di colla ... glue stick
il taccuino .... notepad, note book
la calcolatrice .... calculator
la carta (da disegno) .... (drawing) paper
la cartella .... school bag
la cartellina .... folder, file, binder
la cartina .... map
la cartuccia d'inchiostro ... ink cartridge
la colla .... glue
la cucitrice .... stapler
il disegno .... picture
il dizionario .... dictionary
l'evidenziatore (m) ...... highlighter pen
il foglio di carta .... sheet of paper
le forbici .... scissors
la gomma .... rubber
la graffetta .... paper clip
l'inchiostro (m) .... ink
il libro .... book
il libro di testo .... text book
la matita .... pencil
la penna a sfera .... (ball-point) pen
la penna stilografica .... (fountain) pen
il pennarello .... felt tip pen
il pennello .... paint brush
la perforatrice .... hole punch
il porta matite .... pencil case

i punti .... staples
la puntina da disegno ... drawing pin
il quaderno .... exercise book
il quaderno di appunti .. notebook, vocab book
il quaderno di brutta .... rough book
il righello .... ruler; rule
lo scotch® .... Sellotape®
il temperamatite........... pencil sharpener
il Tippex® .... Tippex® pen
lo zainetto................... schoolbag, satchel,
                                          rucksack

Le materie   School subjects

la biologia .... biology
la ceramica .... pottery
la chimica................... chemistry
lo studio dei media ...... media studies
il cucito .... needlework
il disegno.................... drawing
l'economia domestica (f) . cookery, home
                                          economics
l'educazione civica (f) . PSE
l'educazione fisica (f) .. PE, physical education
l'educazione religiosa (f) . RE
la fisica...................... physics
il francese................... French
la geografia................. geography
la ginnastica................ gymnastics
il greco .... Greek
l'informatica (f)........... IT, computer studies
l'inglese (m) .... English
il latino .... Latin
la letteratura .... literature
la matematica .... maths, mathematics
la materia preferita ...... favourite subject
la musica .... music
il russo........................ Russian
le scienze.................... science
le scienze economiche e sociali
     .... economics
lo spagnolo................. Spanish
lo sport .... sport

la storia .... history
gli studi commerciali... business studies
gli studi teatrali .... drama
la tecnologia............... technology
il tedesco.................... German

Gli esami   Examinations
I voti   Marks

il certificato................ certificate
il diploma................... diploma
l'esame (m) .... examination
la prova...................... assessment test, exam
la prova scritta............ written test
la prova orale .... speaking test
la prova d'ascolto....... listening test
il risultato................... result
il voto......................... mark

avere un buon voto *irreg* ..... to get a good mark
avere un brutto voto *irreg*.... to get a bad mark
essere* bocciato a un esame *irreg*
     .... to fail an exam
fare un esame *irreg*...... to take an exam
essere* promosso .... to pass an exam

Le attività extra curriculari
Out of school activities

il club......................... club
il coro......................... choir
lo scambio.................. exchange
la squadra................... team
l'escursione (f) .... trip, outing
la banda di ottoni......... brass band
la partita .... match
l'orchestra (f) .... orchestra
la recita scolastica .... play
il torneo...................... tournament
la visita...................... visit

Com'è?   What is it like?

assente....................... absent, away
ben educato .... well-behaved

4

buffo............................ funny
buono .... good
cattivo .... naughty
chiaccherone............... talkative
classico....................... classical
complicato.................. complicated
contrario..................... opposite
coscienzioso .... conscientious
debole (in) .... weak, not good (at)
di cemento.................. of concrete
di mattone.................. of brick
difficile....................... difficult
disciplinato................. disciplined
divertente.................... amusing
dritto........................... right, straight
eccellente.................... excellent
esatto .... exact, precise
facile .... easy
fantastico *coll* .... super
forte (in) .... strong; loud; good (at)
giovane....................... young
giusto.......................... correct
grande .... great
importante .... important
indisciplinato.............. rowdy
interessante................. interesting
inutile......................... useless
lavoratore, lavoratrice.. hard-working
lungo .... long
maleducato .... ill-mannered
medio .... average
misto .... mixed
moderno .... modern
noioso.......................... boring
nuovo .... new
pigro........................... lazy
preciso......................... exact, precise
preferito...................... favourite
presente .... present, here
questi, queste.............. these
questo, questa .... this
sbagliato .... wrong

scemo *coll* .... stupid
scolastico.................... to do with school
severo.......................... strict
simpatico.................... nice
spaventoso.................. awful
stupido .... stupid
ultimo.......................... last (final)
utile............................. useful
vecchio........................ old
vero............................. true
zero (in) .... not good, hopeless (at)

Avverbi   Adverbs

bene .... well
lentamente.................. slowly
male .... badly
a memoria .... by heart
presto .... quickly

Verbi utili   Useful verbs

amare .... to like
aprire *irreg* .... to open
ascoltare .... to listen (to)
capire (isc) .... to understand
chiedere *irreg* .... to ask (for)
cominciare.................. to begin
completare.................. to complete
copiare .... to copy
correggere *irreg*.......... to correct
entrare* (in) .... to come/go in
essere* *irreg*............... to be
fare i compiti *irreg* ...... to do one's homework
fare una domanda *irreg* ... to ask a question
imparare...................... to learn
leggere *irreg*............... to read
parlare......................... to speak
prendere nota (di) *irreg* ... to write down
ripetere....................... to repeat
rispondere *irreg*.......... to reply, answer
scegliere *irreg*. .... to choose
scrivere *irreg*.............. to write
sentire .... to hear
tacere *irreg* .... to be quiet

alzarsi * .... to stand up, to get up
calcolare .... to calculate
cancellare .... to rub out, erase
cantare....................... to sing
chiacchierare .... to chat
compilare .... to fill (in) (up)
contare........................ to count
corrispondere *irreg* ...... to correspond
discutere *irreg* .... to discuss
disegnare .... to draw
fare attenzione *irreg* .... to be careful, pay
                              attention
fare un esperimento *irreg*. to do an experiment
girare........................... to turn
guardare .... to look at
indicare § .... to point out
indovinare .... to guess
mettere in ordine *irreg*. to put in the right order
mostrare .... to show
notare .... to note
osservare .... to watch
paragonare.................. to compare
preferire (isc).............. to prefer
prendere note *irreg* ...... to make notes
ritagliare..................... to cut out
sedersi* *irreg*............. to sit down
sottolineare................. to underline
spiegare § .... to explain
spuntare...................... to tick (✓)
tirare una riga sopra..... to cross out
tradurre *irreg* .... to translate

andare* a scuola *irreg*.. to go to school
arrivare*..................... to arrive
assistere a .... to be present at
avere *irreg* .... to have
avere la sufficienza *irreg* ....to get a pass mark
avere ragione *irreg* ...... to be right
avere torto *irreg*.......... to be wrong
cercare (di) § .... to try (to)
consigliare.................. to advise
dare *irreg*.................... to give

detestare .... to dislike
dimenticare § .... to forget
dire *irreg* .... to say, tell
durare * .... to last
essere* in ritardo *irreg* to be late
fare l'appello *irreg* ...... to call the register
fare lo scemo *irreg* ...... to play up
fermare....................... to stop
giocare (a) § .... to play (sport)
imbrogliare................. to cheat
immaginare .... to imagine
indossare .... to wear
insegnare.................... to teach
inventare .... to invent
lasciar cadere.............. to drop
lasciare....................... to leave (person, object)
non combinare nulla.... to mess about
odiare......................... to hate
partire* (da) .... to leave (town, country)
pensare....................... to think
perdere *irreg* .... to lose
permettere *irreg*.......... to allow, give permission
portare........................ to carry
potere *irreg* .... to be able to, can
progredire (isc)........... to make progress
punire (isc) .... to punish
raccontare................... to tell
sapere *irreg* .... to know, know how to
scusarsi*..................... to apologise
si tratta di ... . it is about ...
smettere* (di) *irreg* ..... to stop doing sthg
sorvegliare.................. to supervise
studiare .... to study
suonare....................... to play (instrument)
uscire* (da) .... to go out (of)
uscire* *irreg* (da)......... to leave (room, building)
vedere *irreg*................. to see
venire* *irreg* .... to come
volere *irreg* .... to want to, wish

For further education and training see page 71

6

L'insegnante dice:

Entrate in classe .... Come/go into the classroom

Chiudi la porta/la finestra, per favore .... Close the door/the window, please

Sedetevi!/Siediti! .... Sit down!

Calmatevi!/Calmati! .... Quieten down!

Alzatevi!/Alzati! .... Stand up!

Silenzio! .... Silence!

Ora faccio l'appello .... I'm going to call the register

Prendete/Prendi i quaderni/le cartelline .... Get out your exercise books/folders

Prendete/Prendi il libro d'italiano .... Pick up your Italian book

Aprite/Apri a pagina 32 .... Turn to page 32

Leggete/Leggi il testo .... Read the text

Cercate/Cerca "gatto" sul dizionario .... Look up "gatto" in the dictionary

Cercate/Cerca "gatto" sul vocabolario .... Look up "gatto" in the vocabulary

Ascoltate/Ascolta (la cassetta)! .... Listen (to the tape)!

Guardate/Guarda lo schermo/la pagina seguente! ..... Look at the screen/the next page!

Ripetete/Ripeti! .... Repeat

Ancora una volta, tutti insieme .... Once more, everyone

Rispondete/Rispondi alle domande .... Answer the questions

Da quanto tempo studi l'italiano? .... How long have you been studying Italian?

Guardate/Guarda la lavagna .... Look at the board

Scrivete/Scrivi la data: è l'otto settembre .... Put the date. It is September 8th

Che giorno è oggi ? .... What is the date today?

Scrivete/Scrivi il titolo .... Put the title

Sottolineate/Sottolinea con il righello .... Use a ruler to underline

Contate/Conta da uno a cinque .... Number from one to five

Completate/Completa l'esercizio numero 2 .... Finish exercise 2

Completate/Completa le frasi .... Finish the sentences

Correggete/Correggi il compito con una penna verde ..... Correct your work with a green pen

Scomponete/Scomponi in lettere la parola "libro" .... Spell the word "libro"

Spunta la casella .... Tick the box

Vero o falso? .... True or false?

Scegliete/Scegli la risposta corretta .... Choose the right answer

È giusto! .... Correct!

Chiudete/Chiudi i quaderni .... Shut your exercise books

Passate/Passa i quaderni a Chris, per favore .... Pass the exercise books to Chris, please

Raccogliete/Raccogli i quaderni .... Pick up the exercise books

Portatemi/Portami i quaderni nella sala dei professori .... Bring the exercise books to me in the staffroom

Scegli una carta, Chris, per favore .... Choose a card, please, Chris

Scegli una persona .... Choose someone ...

Lavorate in coppia .... Work in pairs

Lavora con il tuo compagno .... Work with your partner

Preparate/Prepara un dialogo .... Work out a dialogue/role play

Scrivete/Scrivi il compito nel quaderno .... Write down the homework in your exercise books

È per martedì .... It's for Tuesday

Imparate/Impara l'elenco di parole .... Learn the list of words

Lo farete/farai per domani .... You will do it for tomorrow

Ci sarà una prova martedì prossimo .... There will be a test on it next Tuesday

Capite/Capisci? .... Do you understand?

Smettete/Smetti di parlare! .... Stop talking!

Zitti!/Zitto! .... Be quiet!

Sbrigatevi/Sbrigati! .... Hurry up!

Mettete/Metti via le cose! .... Put your things away!

Alzatevi/Alzati! .... Stand up!

Mettete/Metti le sedie sui/sotto i banchi .... Put the chairs on/under the tables

Venite/Vieni da me domani mattina alle nove .... Come and see me tomorrow morning at 9

L'insegnante corregge i compiti:

Hai ottenuto 17 su 20 .... You got 17 out of 20

Tu hai soltanto 5 su 20 .... You only got 5 out of 20

Ci sono degli errori .... There are some mistakes...

"Accelerare" si scrive con due "c" e una "l" .... "Accelerare" has two "c"s and one "l"

Abbastanza bene .... Quite good

Bene .... Good

Hai dimostrato buona volontà .... Well tried

Molto bene .... Very good

Eccellente .... Excellent

Cerca di fare meglio la prossima volta .... Try harder next time

Gli allievi dicono:

Studio l'italiano da un anno/due anni	I've been learning Italian for one/two year(s)
Capisco	I understand
Non capisco	I don't understand
Non so	I don't know
Ho ricevuto un buon/cattivo voto	I got a good/bad mark
Parli italiano/inglese?	Do you speak Italian/English?
Ho dimenticato la penna /l'astuccio portapenne	I've forgotten my pen/my pencil case
Ho dimenticato i compiti	I've forgotten my homework
Vorrei un nuovo quaderno, per favore	I would like a new exercise book, please
Scusi, professore, professoressa ...	Please Miss/Sir ...
A che pagina siamo?	What page are we on?
Come si dice "homework" in italiano?	How do you say "homework" in Italian?
Come si scrive "chiuso"?	How do you spell "chiuso"?
Cosa vuol dire "chiuso" in inglese?	What does "chiuso" mean in English?
Come si pronuncia?	How do you pronounce that?
In quale quaderno lo facciamo?	Which exercise book shall we do it in?
Può ripetere, per piacere?	Will you say that again, please?
Può parlare più lentamente, per favore?	Can you speak more slowly, please?
Posso aprire la finestra?	May I open the window?
Posso uscire?	May I leave the room?
Posso temperare la matita?	May I sharpen my pencil?
Sono in terza liceo	I am in Year 13

Frasi

Le lezioni cominciano alle nove e finiscono alle quattro *Lessons begin at 9 and end at 4*

Ho sei lezioni al giorno *I have six lessons a day*

La mia materia preferita è la geografia *My favourite lesson is geography*

Sono forte in storia *I am good at history*

Sono debole in latino *I am poor at Latin*

Sono uno schianto in francese *I'm useless at French*

Faccio gli esami quest'anno *I shall be taking my exams this year*

Arrivo a scuola alle nove meno un quarto *I get to school at 8.45 am*

Vado a scuola a piedi *I walk to school*

Indosso una divisa *I wear school uniform*

LA VITA IN FAMIGLIA

La casa — Housing

l'appartamento (m) ...... flat
la casa .... house, home
la casa bifamiliare .... semi-detached house
la casa popolare (f) ...... council, housing association flat
il condominio .... block of flats
l'edificio (m) .... building
la fattoria .... farm
la palazzina .... block of flats
lo studio .... bedsit, studio
la villa .... detached house, villa
la villetta a schiera .... terraced house

La località — Situation

la campagna .... country (not town)
la città .... town, city
l'indirizzo (m) .... address
il mare .... sea
il paese .... country (state)
il paese, paesino .... village
la periferia .... outskirts
la Provincia .... administrative department
il quartiere .... district of town, city
il quartiere residenziale ... residential area

all'est (m) .... in the east
al nord .... in the north
all'ovest (m) .... in the west
al sud .... in the south

For names of countries see page 91

L'indirizzo — Address

il centro .... centre
il corso .... avenue
il lungofiume .... embankment, quay
la piazza .... square
il ponte .... bridge

il sentiero .... path
la via .... street, road, avenue
la via principale .... main road
la via senza uscita .... cul de sac
il viale .... boulevard, wide road
il vicolo .... alley, lane

il codice postale .... postcode
il domicilio .... place of residence
il numero .... number
il numero di fax .... fax number
il numero di telefono ... phone number

La gente — People

gli abitanti .... inhabitants
l'agente (m, f) immobiliare ... estate agent
il, la custode .... caretaker
l'inquilino (m) .... tenant
il portinaio .... caretaker
il proprietario .... owner

Generale — General

l'accoglienza (f) .... welcome
l'affitto (m) .... rent
l'ascensore (m) .... lift
il balcone .... balcony
il box .... garage
il caminetto .... fireplace, chimney
il cancello .... gate
la chiave .... key
il corridoio .... corridor
il cortile .... courtyard
l'entrata (f) .... entrance
la finestra .... window
il gradino .... step (on stairs)
l'ingresso (m) .... entrance
la luce .... light
il metro quadrato .... square metre
il muro .... wall
il pavimento .... floor

la persiana .... shutter
il pianerottolo .... landing
il piano .... floor, storey
il pianterreno .... ground floor
la pittura .... paint(ing)
la porta (d'ingresso)..... (front) door
il portone .... main entrance to flats
il posto auto .... car space (in block of flats)
il primo piano .... first floor, upstairs
la pulizia .... cleaning
la ringhiera .... banisters
lo scaffale .... shelf
la scala....................... staircase
la serratura................. lock
il soffitto.................... ceiling
il tetto....................... roof
il vetro....................... glass

l'acqua (f).................. water
l'elettricità (f) .... electricity
il gas.......................... gas
l'interruttore (m).......... switch
la lampadina elettrica... light bulb
la presa di corrente ...... plug
il riscaldamento centrale .. central heating
il termosifone .... radiator

Le stanze   Rooms

l'attico (m) .... attic, loft
la camera da letto......... bedroom
la cantina.................... cellar
la cucina .... kitchen
il gabinetto .... toilet
la sala da bagno .... bathroom, toilet
la sala da giochi .... playroom
la sala da pranzo .... dining room
il salotto..................... lounge, sitting room
lo scantinato .... basement
il soggiorno .... living-room, lounge
la stanza da bagno........ bathroom, toilet
lo stanzino .... utility room

lo studio .... study
il tinello..................... breakfast room
la veranda.................. conservatory
il vestibolo .... hall

La stanza da bagno   Bathroom

l'acqua calda (f) .... hot water
l'acqua fredda (f)........ cold water
l'asciugamano (m)....... towel
il bagno .... bath (activity)
il bagno di schiuma ..... bubble bath
il bidet....................... bidet
la carta igienica .... toilet paper
il dentifricio .... toothpaste
il deodorante .... deodorant
la doccia.................... shower
il guanto per il viso...... flannel
il lavabo .... wash basin
la presa per rasoio........ electric razor socket
il rasoio .... razor
il rubinetto................. tap
il sapone.................... soap
lo shampo................... shampoo
lo spazzolino da denti.. toothbrush
lo specchio .... mirror
la spugna .... sponge
la vasca da bagno .... bath (tub)

La camera da letto   Bedroom

l'armadio (m) .... wardrobe
l'asciugacapelli (m) ..... hairdryer
la cassetta .... cassette
il CD .... compact disc
la coperta................... blanket
il copripiumone .... duvet cover
il giocattolo .... toy
il guanciale................ pillow
l'impianto stereo (m)... stereo system
la lampada .... lamp
il lenzuolo, le lenzuola. ... sheet(s)
il letto....................... bed
il libro .... book
il manifesto .... poster

la moquette................ fitted carpet
l'ordinatore (m).......... computer
il pettine .... comb
il piumone .... duvet, quilt
la radio-sveglia............ radio clock
la sedia .... chair
la spazzola................. brush
lo specchio .... mirror
lo stereo..................... personal stereo
il tappeto .... rug, carpet (not fitted)
il televisore................ television set
la tenda...................... curtain
il videogioco.............. video game

Il soggiorno   **Living room**
Il salotto   **Lounge**
la biblioteca................ book-case
il caminetto................ fireplace
il lettore CD................ compact disc player
il cuscino .... cushion
il divano .... sofa, settee
la foto.......................... photo
l'impianto stereo......... stereo system
la moquette................ fitted carpet
l'orologio a pendolo .... clock
il pianoforte................ piano
la poltrona .... armchair
il porta-CD .... CD holder
il posacenere............... ashtray
il quadro..................... painting
il registratore .... tape recorder
il tavolino .... coffee table
il videoregistratore....... video recorder

La sala da pranzo   **Dining room**
l'apribottiglie (m)........ corkscrew
il bicchiere (da vino).... (wine) glass
la caffettiera .... coffee pot
la candela .... candle
il coltello .... knife
la credenza .... sideboard
il cucchiaio................ spoon
la forchetta .... fork

il piattino.................... saucer
il piatto...................... plate
le posate .... cutlery
la scodella .... bowl
la sedia...................... chair
il tavolo..................... table
la tazza...................... cup
la teiera .... teapot
la tovaglia .... tablecloth
il vasellame................ crockery
la zuccheriera............. sugar bowl

La cucina   **Kitchen**
l'apriscatole (m).......... can opener
l'asciugatore (m)........ tumble dryer
l'aspirapolvere (m)...... vacuum cleaner
l'asse da stiro .... ironing board
il bollitore .... kettle
la casseruola............... casserole
la centrifuga .... spin dryer
il congelatore.............. freezer
la credenza .... cupboard
la cucina a gas............ gas cooker
la cucina elettrica .... electric cooker
il detersivo in polvere .. washing powder
il detersivo per piatti.... washing up liquid
il ferro da stiro .... iron
i fiammiferi .... matches
il forno .... oven
il forno a micro-onde... microwave oven
il frigo....................... fridge
il frigorifero .... fridge
la lavastoviglie .... dishwasher
la lavatrice.................. washing machine
il lavello .... sink
la padella................... frying pan
la pattumiera .... rubbish bin
la pentola................... saucepan
la pentola a pressione .. pressure cooker
la pentola a vapore ...... steamer
il tostapane................ toaster
il vassoio .... tray

L'entrata, il vestibolo Hall
il campanello .... doorbell
la chiave .... key
il citofono .... internal telephone
l'entrata (f) .... entrance
la porta d'ingresso .... front door
la scala....................... staircase
la segreteria telefonica. ... answering machine
il telefono .... telephone

Il box, il posto auto   Garage
gli attrezzi................... tools
l'automobile (f) .... car
la bicicletta................ bike
la macchina .... car
la moto .... motorbike
il motorino................. scooter
il tosaerba.................. lawnmower

Il giardino   Garden
l'aiuola (f) .... flower bed
l'albero (da frutta) (m). ... (fruit) tree
l'arbusto (m)............... bush, shrub
il capanno per attrezzi.. shed
la carriola .... wheelbarrow
la conifera.................. fir tree
l'erba (f) .... grass
il fiore .... flower
il frutto .... fruit
i legumi .... vegetables
il melo....................... apple tree
l'orto (m).................... vegetable garden
il posto auto............... parking space
il prato...................... lawn
la serra...................... greenhouse
la siepe .... hedge
la terrazza.................. patio, terrace

Com'è?   What is it like?
accogliente .... welcoming
ammobiliato .... furnished
attrezzato.................. fitted
bello *irreg*................. beautiful

bizzarro .... odd, strange
brutto .... ugly
calmo .... quiet
caro .... dear, expensive
comodo .... comfortable
convertito .... converted
di classe.................... elegant
di gran classe............. posh
di lusso...................... luxurious
elegante..................... smart
essenziale .... essential
gradevole................... pleasant
grande .... big
grazioso..................... pretty
in alto....................... upstairs, above
in basso .... downstairs, below
in buone condizioni..... in good condition
in cattivo stato............ in poor condition
moderno .... modern
necessario.................. necessary
nuovo .... new
nuovo di zecca............ brand new
perfetto...................... perfect
piccolo .... small
pratico .... practical
privato....................... private
proprio .... own
pulito........................ clean
rumoroso................... noisy
signorile .... posh, elegant
soleggiato.................. sunny
sporco .... dirty
stretto .... narrow
tranquillo................... peaceful
vuoto......................... empty

antico .... very old
d'epoca...................... period
industriale .... industrial
pittoresco................... picturesque
restaurato................... restored
tipico .... typical

turistico .... tourist
vecchio .... old

Dov'è?   **Where is it?**
al piano terreno .... on the ground floor
al pianterreno .... on the ground floor
al primo piano .... upstairs,
                                          on the first floor
ai piani inferiori .... downstairs
ai piani superiori .... upstairs
dà sul giardino .... overlooks the garden
dà sulla strada .... overlooks the street
da questa parte .... this way
da quella parte .... that way

davanti .... in front of
dietro .... behind
entro .... between
fra .... between
in .... in
sopra .... above
sotto .... under
su .... on

Verbi utili   **Useful verbs**
abitare .... to live, reside
accendere il gas *irreg* ... to turn on the gas
accendere *irreg* .... to light, switch on
accendere la radio *irreg*
     .... to switch on the radio
acquistare .... to buy
aiutare .... to help
apparecchiare la tavola ... to set the table
aprire il rubinetto *irreg* ... to turn on the tap
aprire *irreg* .... to open
avere bisogno di *irreg* .. to need
comp(e)rare .... to buy
condividere *irreg* .... to share
cucinare .... to cook
fare acquisti *irreg*. .... to shop
fare giardinaggio *irreg*. ... to garden
fare i lavori di casa *irreg*.. to do housework
fare il bucato *irreg* .... to do the washing

fare il letto *irreg* .... to make the bed
fare la spesa *irreg* .... to shop for food
lavare le stoviglie .... to do the washing up
mettere in ordine *irreg*. to tidy up
preparare i pasti .... to get meals ready
pulire (isc) .... to clean
riparare .... to repair
sparecchiare la tavola .. to clear the table
spegnere *irreg* .... to switch off
stirare indumenti .... to iron clothes
strofinare .... to wipe

accogliere *irreg* .... to greet, welcome
ampliare .... to extend
arredare .... to furnish
bussare (alla porta) ...... to knock on the door
chiudere *irreg* .... to shut, turn off (tap)
convertire .... to convert
decorare .... to decorate
fare il fai-da-te *irreg*.... to do odd jobs, DIY
innaffiare.................... to water
inserire la presa .... to plug in
passare l'aspirapolvere to vacuum
rovesciare................... to upset, overturn
suonare (alla porta)...... to ring (the doorbell)
tosare l'erba .... to mow the lawn
traslocare § .... to move house

avere fame *irreg* .... to be hungry
avere sete *irreg* .... to be thirsty
bere *irreg* .... to drink
cenare......................... to have dinner (evening)
fare (la prima) colazione *irreg*
     .... to have breakfast
fare la seconda colazione *irreg*
     .... to have lunch
mangiare § .... to eat
pranzare *coll* .... to have lunch

addormentarsi* .... to fall asleep
alzarsi* .... to get up
andare* a letto *irreg* .... to go to bed
essere* alzato *irreg* ...... to be up

essere* sveglio *irreg* .... to be awake
lavarsi* .... to wash oneself
lavarsi* i denti .... to clean one's teeth
pettinarsi* .... to comb one's hair
rasarsi* .... to shave
spazzolarsi* i capelli.... to brush one's hair
svegliarsi* .... to wake up
vestirsi* .... to get dressed

arrivare* a .... to arrive at
entrare* in .... to go into

incontrare .... to meet, pick up
partire* da .... to leave (town)
uscire da* *irreg* .... to go out of

For meals see page 24
For food and drink see page 55
For pets see page 31
For weekend activities and hobbies see page 33
For expressing opinions see page 40
For colours see page 29
For times see page 94

Frasi

Dove abiti? *Where do you live?*

Cosa c'è nella tua camera da letto? *What is there in your bedroom?*

Nella mia camera c'è un letto, un tavolo, un ordinatore e una lampada *In my room there is a bed, a table, a computer and a lamp*

Cosa c'è nel tuo giardino? *What is there in your garden?*

Ho un prato, uno stagno e molti bei fiori *I have a lawn, a pond and many lovely flowers*

Abito al piano terreno *I live on the ground floor*

Mio fratello porta a spasso il cane *My brother takes the dog for a walk*

Aiuti in casa? *Do you help at home?*

Io lavo le stoviglie *I do the washing up*

In visita   Being a guest

l'amico di penna (m) ... penfriend
l'amica di penna (f) ..... penfriend
l'invitato (m) .... guest
l'invitata (f) .... guest
il padrone di casa .... host
la padrona di casa .... hostess

la coperta .... blanket
il dentifricio .... toothpaste
il regalo .... present
il sapone .... soap
lo shampoo .... shampoo
lo spazzolino da denti .. toothbrush
la valigia .... suitcase

accogliente .... welcoming
anziano .... aged, elderly
contento .... pleased

gentile .... kind
gradevole .... nice
inglese .... English
interessante .... interesting
italiano .... Italian
maggiore .... elder, oldest
minore .... younger, youngest
servizievole .... helpful
simpatico .... nice
timido .... shy

For nationalities see page 31

Verbi utili   Useful verbs

accogliere *irreg* .... to welcome
arrivare* .... to arrive
avere bisogno di *irreg*.. to need
dare una mano a *irreg*.. to help
dimenticare § .... to forget

entrare*	to come in	prendere in prestito *irreg*	to borrow
mangiare §	to eat	prestare	to lend
offrire a *irreg*	to give (present)	sorridere *irreg*	to smile
parlare inglese	to speak English	trovare	to find
parlare italiano	to speak Italian	trovarsi*	to be situated
partire* *(da) irreg*	to leave (a town)	uscire* *irreg*	to go out
potere *irreg*	to be able to		

Frasi

Ho dimenticato la mia spugnetta *I have forgotten my sponge*

Dov'è la stanza da bagno, per favore? *Where is the bathroom, please?*

Posso telefonare ai mei genitori, per piacere? *May I phone my parents, please?*

Noi ceniamo verso le otto *We have our evening meal at about 8 pm*

Grazie per l'ospitalità *Thank you for your hospitality*

I MEDIA

Generale — General

il cinema	cinema
la stampa	press
la radio	radio
il teatro	theatre
la televisione	television

Al cinema — At the cinema

l'attore (m)	actor
l'attrice (f)	actress
il cattivo	baddie, villain
l'eroe (m)	hero
l'eroina (f)	heroine
il film	film
il personaggio	character
il programma	programme
il, la regista	director
i sottotitoli	subtitles
lo spettacolo	(film) showing
lo spettacolo pomeridiano	afternoon performance
la stella del cinema	filmstar

la trama	plot

Cosa danno? — What's on?

il film comico	comedy film
il film d'amore	love film
il film d'avventura	adventure film
il film d'animazione	cartoon
il film dell'orrore	horror film
il film di fantascienza	science fiction film
il film di guerra	war film
il film di spionaggio	spy film
il film giallo	thriller
il film poliziesco	detective film
il film western	Western

La stampa — The press

gli annunci	small ads
l'articolo (m)	article
l'edicola (f)	news stand
il fumetto	comic strip
il giornalaio	newsagent
il giornale (quotidiano)	newspaper
il lettore	reader

la lettrice .... reader
la lettura .... reading
la meteorologia .... weather report
il negozio di giornali.... newsagent
la pagina sportiva......... sports page
le parole incrociate ...... crosswords
il periodico femminile . women's magazine
il quotidiano .... daily paper
il rapporto................... report
la rivista...................... magazine
la rivista illustrata .... glossy magazine
la rivista d'attualità...... news magazine
la rivista d'avventura ... adventure magazine
la rivista di moda .... fashion magazine
il settimanale .... weekly paper, magazine
i titoli......................... headlines

Alla radio — On the radio
Alla televisione — On TV

le risate registrate......... canned laughter
l'antenna parabolica (f) ... satellite dish
l'attore comico (m)...... comedian
l'attrice comica (f) .... comedienne
il canale...................... channel
il, la cantante .... singer
la commedia teatrale.... play
il documentario........... documentary
il gruppo..................... group
il notiziario radio .... radio news
le previsioni del tempo ... weather forecast
il programma a quiz..... quiz
il programma di attualità.. current affairs
                                            programme
il programma di varietà ... variety programme
la pubblicità................ adverts
lo sceneggiato............. serial, "soap"
la serie poliziesca......... detective, police
                                            series
il talk-show................. talk show
il telecomando .... remote control, zapper
il telegiornale.............. TV news
la televisione via cavo.. cable TV

la trasmissione............. broadcast
la trasmissione sportiva ....sports broadcast
la videocassetta .... video cassette
il videoregistratore a cassetta....VCR

La musica — Music

il, la cantante............... singer (male)
il CD .... CD
l'impianto stereo (m)....stereo system
il jazz .... jazz
il lettore CD .... CD player
la musica classica........ classical music
la musica pop .... pop music
il rap .... rap
il registratore a cassette ....cassette recorder
il rock .... rock
lo stereo personale........ walkman®

Il teatro — The theatre

il balletto..................... ballet
la commedia................. comedy
la compagnia teatrale....theatre company
il dramma.................... drama
il lavoro teatrale .... play
l'opera (f).................... opera
il pubblico................... audience
la rappresentazione....... performance
la tragedia .... tragedy
la trama....................... plot

Quando l'hai visto/sentito? — When did you see/hear it?

oggi............................. today
questa mattina .... this morning
ieri .... yesterday
l'altro ieri.................... the day before yesterday
tre giorni fa .... three days ago
durante il fine settimana ...at the weekend
la settimana scorsa .... last week
un mese fa.................... a month ago
nel pomeriggio .... (in the) afternoon
la mattina .... (in the) morning
la sera.......................... (in the) evening

Dove l'hai visto /sentito?
Where did you see/hear it?

al centro giovanile .... at the youth club
al cinema .... at the cinema
al concerto .... at a concert
alla radio .... on the radio
a teatro .... at the theatre
alla televisione............. on television

su cassetta................... on cassette, on tape
su CD .... on CD
su video..................... on video

Com'è?   ## What is it like?

bello *irreg*.................... nice
bene........................... well
brutto.......................... ugly
buffo .... funny
buono .... good
cattivo .... bad
celebre........................ famous
classico....................... classical
comico......................... funny
con sottotitoli............... sub-titled
corto........................... short
divertente .... amusing, funny
doppiato .... dubbed
eccellente.................... excellent
emozionante .... exciting
fantastico.................... very good, super
formidabile................. super
giovane....................... young
ignobile .... lousy
impressionante............ impressive
incapace .... useless
insopportabile............. unbearable
interessante................. interesting
lungo.......................... long
(niente) male .... (not) bad
il massimo *coll* .... super
mensile....................... monthly
noioso......................... boring
normalmente............... usually

penoso *coll*.................. unpleasant, painful
pop *inv* .... pop
preferito .... favourite
quotidiano.................. daily
il più recente .... latest
ridicolo .... ridiculous
sensazionale .... sensational
serio........................... serious
settimanale................. weekly
straordinario............... extraordinary, special
terribile...................... awful
tragico........................ tragic
ultimo .... last
in versione italiana .... in the Italian version
con colonna sonora originale
.... with the original soundtrack

Verbi utili   ### Useful verbs

accendere *irreg* .... to switch on
andare* a vedere *irreg*..to go and see
apprezzare................... to appreciate
ascoltare...................... to listen (to)
avere orrore di *irreg* ....to hate
cambiare canale continuamente
.... to channel-hop
cantare .... to sing
chiudere *irreg*.............. to shut
cominciare .... to begin
detestare...................... to hate
disprezzare.................. to despise
divertirsi*.................... to have a good time
durare*........................ to last
finire (isc) .... to end
guardare...................... to watch
interessarsi * di .... to be interested in
leggere *irreg* .... to read
odiare......................... to hate
paragonare .... to compare
pensare....................... to think
piacere *irreg*............... to like
piacere molto *irreg*....... to like a lot
potere *irreg* .... to be able to, can

preferire (isc) .... to prefer	si tratta di * .... it is about
recitare .... to act	trovare.......................... to find
registrare .... to record	vedere *irreg* .... to see
ridere *irreg* .... to laugh	
scegliere *irreg* .... to choose	For words to express an opinion see pages 40, 42
sentire.......................... to hear	For days of the week see page 95
spegnere *irreg* .... to switch off	For buying tickets see page 36
suonare........................ to play (music)	For advertising see page 77
telefonare.................... to phone	

Frasi

Andiamo al cinema? *Shall we go to the cinema?*

Che film danno? *What's on?*

Mi piacciono i film comici *I like comic films*

Mi piace ascoltare la musica *I like listening to music*

Mi interesso di jazz *I'm interested in jazz*

Ho una collezione di CD *I have a collection of CDs*

Cosa ne pensi? *What did you think of it?*

Non posso soffrire le risate registrate *I hate canned laughter*

È uscito in video? *Is it out on video?*

Dove l'hai visto? *Where did you see it?*

Dove l'hai sentito? *Where did you hear it?*

LA SALUTE E LA FORMA

Le parti del corpo
Parts of the body

l'anca (f)..................... hip	il collo......................... neck
l'arto (m) .... limb	la coscia .... thigh
la bocca .... mouth	la costola .... rib
le braccia (fpl) .... arms	il cuore .... heart
il braccio .... arm	il dente .... tooth
i capelli...................... hair	il dito.......................... finger
il capo........................ head	le dita (fpl) .... fingers
la caviglia................... ankle	il dito del piede........... toe
il cervello .... brain	il fegato...................... liver
	la fronte..................... forehead
	la gamba..................... leg
	le gengive.................. gums

il ginocchio................ knee
le ginocchia (fpl) .... knees
la gola .... throat
il gomito..................... elbow
la guancia .... cheek
il labbro...................... lip
le labbra (fpl).............. lips
la lingua .... tongue
la mano....................... hand
il mento .... chin
il muscolo................... muscle
il naso......................... nose
la nuca........................ nape of neck
l'occhio (m)................ eye
gli occhi .... eyes
l'orecchio (m)............. ear
le orecchie (fpl) .... ears
l'osso (m) .... bone
le ossa (fpl)................. bones
la pancia..................... tummy
la pelle........................ skin
il petto........................ chest, bust
il piede .... foot
il pollice .... thumb
i polmoni.................... lungs
il polso .... wrist
il rene......................... kidney
le reni (fpl) .... back, loins
il sangue..................... blood
la schiena.................... back
il seno......................... breasts
la spalla .... shoulder
lo stomaco.................. stomach
la testa .... head
i tratti .... features
l'unghia (f) .... finger nail
il ventre...................... stomach
il viso .... face
la vita .... waist
la voce........................ voice

La gente   People

l'assistente (m, f) sociale....social worker
il barelliere................. stretcher bearer
il, la dentista............... dentist
il dottore..................... doctor
la dottoressa .... doctor
il, la farmacista........... chemist
il, la fisioterapista....... physiotherapist
l'infermiera (f) .... nurse
l'infermiere (m)........... nurse
il medico .... doctor
l'ottico (m, f).............. optician
il, la paziente.............. patient
lo, la psichiatra........... psychiatrist
la psicologa .... psychologist
lo psicologo................ psychologist

I problemi di salute
Health problems

la diarrea .... diarrhoea
la febbre..................... fever, high temperature
la febbre del fieno .... hay fever
il gonfiore .... swelling
l'indigestione (f).......... indigestion
l'influenza (f) .... flu
l'insolazione (f) .... sunstroke
il mal di mare............. sea-sickness
il mal di testa.............. headache
le mestruazioni .... period
il morbillo .... measles
la morsicatura............. bite
gli orecchioni .... mumps
la puntura (d'insetto) ... (insect) sting, bite
il raffreddore.............. cold
la rosolìa .... German measles
la storta .... sprain
la tonsillite .... tonsillitis
la tosse .... cough
la varicella.................. chicken pox

Dal dottore e dal dentista
At the doctor's and the dentist's

l'ambulanza (f) .... ambulance
l'ambulatorio (m) .... surgery (NHS)
l'appuntamento (m) ..... appointment
l'assicurazione (f) .... insurance
il certificato medico ..... doctor's certificate
la clinica .... clinic (private)
la cura.......................... treatment
il dolore .... pain
l'estrazione (f) .... tooth extraction
il gesso .... plaster (broken bones)
l'iniezione (f)............... injection
la malattia.................... illness
la medicina.................. medicine
gli occhiali................... pair of glasses
l'operazione (f)............ operation
l'otturazione (f) .... filling (tooth)
i primi soccorsi............ first aid
il problema .... problem
il Pronto Soccorso .... Accident &
                                         Emergency unit
la radiografia .... X-ray
la ricetta...................... prescription
il rimedio..................... remedy
le spese .... expenses, cost
lo studio medico .... surgery (private)
la volta .... occasion, time

In farmacia   At the chemist's

gli antibiotici .... antibiotics
l'aspirina (f) .... aspirin
gli assorbenti .... sanitary towels
la benda .... dressing
il cerotto .... plaster, elastoplast®
la compressa............... tablet
il cotone idrofilo.......... cotton wool
la crema (antisettica).... (antiseptic) cream
il cucchiaio .... spoon(ful)
il dentifricio................ toothpaste
il fazzolettino di carta .. tissue
la pastiglia .... tablet, throat sweet

il sapone...................... soap
lo sciroppo .... (liquid) medicine;
                                        cough mixture
la scottatura solare....... sunburn
la supposta.................. suppository
il tampone .... tampon
la temperatura............. temperature
il tubo......................... tube

Verbi utili   Useful verbs

andare* a letto *irreg* .... to go to bed
andare* a vedere *irreg*. to go and see
attendere *irreg* .... to wait (for)
avere caldo *irreg* .... to be hot
avere freddo *irreg*....... to be cold
avere la febbre *irreg* .... to have a raised
   temperature
avere la nausea *irreg*.... to feel sick
avere mal d'orecchi *irreg* to have earache
avere mal di denti *irreg* ... to have toothache
avere mal di gola *irreg* ... to have a sore throat
avere mal di pancia *irreg*. to have stomach-ache
avere mal di schiena *irreg* to have backache
avere mal di stomaco *irreg*
                          to have stomach-ache
avere mal di testa *irreg* ... to have a headache
avere paura *irreg* .... to be afraid
avere un raffreddore *irreg*......to have a cold
avere sonno *irreg*......... to be sleepy
cadere*........................ to fall
chiamare...................... to call
consigliare.................. to advise
diventare* *irreg*.......... to become
dormire *irreg*.............. to sleep
essere* esausto *irreg*.... to be exhausted
essere* preoccupato *irreg*......to be worried
essere* ricoverato in ospedale *irreg*
   .... to be admitted to hospital
fare le proprie scuse *irreg*......to apologise
guarire (isc)................ to recover
informare .... to inform
mordere *irreg* .... to bite
morsicare § .... to bite

pagare § .... to pay (for)
prendere la temperatura *irreg*
.... to take s.o's temperature
prendere un appuntamento *irreg*
.... to make an appointment
pungere *irreg* .... to sting
rabbrividire (isc) .... to shiver
riempire .... to fill
rilassarsi* .... to relax
sanguinare .... to bleed
sentirsi* bene *irreg* ..... to feel well
sentirsi* male *irreg* ..... to feel ill
stare* a letto *irreg* .... to stay in bed
starnutire (isc) .... to sneeze
sudare .... to sweat
tossire (isc) .... to cough
uccidere *irreg* .... to kill
vomitare .... to vomit

Una vita sana　　A healthy lifestyle

l'aerobica (f) .... aerobics
l'agricoltura biologica (f) ...... organic farming
l'AIDS (m) .... Aids
l'alcool (m) .... alcohol
l'alcoolismo (m) .... alcoholism
gli alimenti naturali ..... organic foods
l'allenamento quotidiano (m)... daily work-out
le anfetamine .... amphetamines
l'anoressia (f) .... anorexia
la bulimia .... bulimia
le buone abitudini alimentari
.... good eating habits
il cibo .... food
i dolciumi .... sweet things
la droga .... drug
l'eroina (f) .... heroin
il fertilizzante chimico . chemical fertiliser
la forma .... fitness
la frutta...................... fruit
il fumatore .... smoker
il grasso .... fat
gli insetticidi.............. insecticide

l'ipertensione (f) .... high blood pressure
i latticini .... dairy products
le materie grasse .... fats, fat content
l'overdose (f) .... overdose
il rilassamento .... relaxation
la ristorazione rapida ... fast food industry
il sonno .... sleep
lo stress .... stress
il tabacco .... tobacco
il tossico (dipendente) . junkie
il tossicomane............. drug addict
l'ubriachezza (f) .... drunkenness (habitual)
le verdure .... vegetables
le vitamine .... vitamins
sniffare la colla *coll* ..... glue sniffing

Cosa c'è che non va?
What's the matter?

affaticato .... tired
allergico a .... allergic to
anoressico .... anorexic
asmatico .... asthmatic
bagnato .... wet
caldo .... hot
certo........................... certain, sure
debole .... weak
diabetico.................... diabetic
disabile...................... disabled
freddo........................ cold
gonfio........................ swollen
grasso........................ fat, fatty
malato ill
pulito......................... clean
raffreddato .... having a cold
in buona salute .... in good health
in cattiva salute .... in poor health
sano........................... healthy
sicuro .... certain
sofferente .... unwell
sorprendente............... surprising
sporco .... dirty
sudato........................ sweaty

22

ubriaco .... drunk

urgente .... urgent

vegetariano .... vegetarian

vegetariano integrale.... vegan

vero .... true

Verbi utili   **Useful verbs**

allenarsi* .... to train

alzarsi* .... to get up

arrabbiarsi* .... to get angry

dimagrire (isc) .... to lose weight

drogarsi*§ .... to take drugs

essere* in piena forma *irreg*.. to be very fit

evitare .... to avoid

fare attenzione *irreg* ..... to pay attention

fumare .... to smoke

guardare .... to watch, look

ingrassare .... to put on weight

lavarsi* .... to wash

mangiare.................... to eat

mettersi a dieta* *irreg*.. to go on a diet

protestare................... to protest

provare la droga.......... to try drugs

rallentare .... to slow down

riposarsi* .... to rest

rispettare................... to have respect for

È grave?   **Is it serious?**

ansioso .... anxious

esausto....................... exhausted

falso .... false

ferito.......................... injured

gravemente ferito........ seriously injured

grave .... serious

lentamente................. slowly

morto .... dead

privo di sensi.............. unconscious

sbagliato.................... wrong

molto spiacente .... very sorry

in stato di shock.......... in shock

Verbi utili   **Useful verbs**

affrettarsi* .... to hurry

aiutare .... to help

cadere* *irreg* .... to fall

correre *irreg* .... to run

dichiarare .... to declare

farsi* male *irreg* .... to hurt oneself

ferirsi*(isc)................. to get injured

fermarsi*.................... to stop

gridare....................... to shout

piangere *irreg* .... to cry (weep)

posare....................... to put down, place

prendere una storta alla caviglia *irreg*

.... to sprain one's ankle

rompersi* un braccio... to break one's arm

smettere (di) *irreg*. ...... to stop doing sth

sorpassare.................. to overtake

tagliarsi* un dito.......... to cut one's finger

uccidere *irreg* .... to kill

ustionarsi*.................. to burn

ustionarsi* la mano...... to burn one's hand

For sport see page 35

For food and drink see pages 55, 24

Frasi

Cosa c'è che non va? *What is the matter?*

Mi sono rotta la gamba *I've broken my leg*

Ho la febbre alta *I've got a high temperature*

È stato morsicato da una zanzara *A mosquito has stung him*

Ho caldo/freddo *I'm hot/cold*

Non sto bene *I feel unwell*   Ho la nausea *I feel sick*

Lei ha qualcosa contro la tosse? *Have you anything for a cough?*

MANGIARE E BERE

I pasti   Meals

la cena .... dinner, evening meal
il cibo .... food
la (prima) colazione ..... breakfast
la merendina .... afternoon tea, snack
il pasto del mezzogiorno.. lunch, midday meal
il pasto della sera .... evening meal
i piatti da asporto .... take-away meals
il pic nic .... picnic
la seconda colazione .... lunch, mid-day meal
lo spuntino .... snack

Dove vai a mangiare?
Where are you going to eat?

il bar .... bar
la birreria .... pub
il caffè .... café
la pizzeria .... pizzeria
il ristorante .... restaurant
il self-service .... self-service restaurant
la tavola calda .... fast food restaurant
la trattoria .... bistro

Al ristorante   In a restaurant

Le persone   People
la cameriera .... waitress
il cameriere .... waiter
il capocuoco .... chef
la cassiera .... till operator
il cassiere.................... till operator
il, la cliente................. customer
la persona .... person
il proprietario .... owner

Generale   General
l'aroma (m) .... smell
il conto .... bill
il coperto .... cover charge
la cucina cinese........... Chinese food
la cucina indiana......... Indian food

la cucina italiana......... Italian food
il gabinetto .... toilet
il gusto .... taste, flavour
la mancia.................... tip (money)
il menù del giorno .... menu of the day
il menù fisso............... set price menu
il piatto (regionale) tradizionale
.... (local) speciality
la prenotazione .... booking
la ricetta .... recipe
la ricevuta fiscale .... official receipt
la scelta .... choice
la sedia .... chair
il servizio .... service charge
il tavolo...................... table
il telefono................... telephone
il vassoio.................... tray

(non) compreso .... (not) included
in sala......................... inside
fuori .... outside
in terrazza .... on the terrace

Il menù   Menu
l'antipasto (m)............. starter
il primo (piatto).......... first course
il piatto del giorno....... the day's "special"
il secondo (piatto)........ main course
il pesce .... fish
il formaggio .... cheese
il dolce .... dessert

Gli antipasti   Starters
Il primo piatto   First course
gli affettati.................. mixed cold meats
gli agnolotti................ ravioli
il brodo .... consommé
i gnocchi .... potato/semolina dumplings
l'insalata (f) di mare.... shellfish salad
l'insalata (f) di pomodoro...tomato salad
le lasagne vegetariane.. vegetarian lasagne

24

la minestra .... soup
la minestra di verdure .. vegetable soup
il piatto tipico .... typical dish
la pizza (al forno di legna) ... pizza
il prosciutto con melone .... ham with melon
il risotto alla Milanese . Milanese-style rice
la salsiccia .... salami sausage
la verdura cruda .... raw vegetables

Il secondo   Main course
l'agnello alla romana (m) ..... lamb Roman-style
la bistecca ai ferri .... grilled steak
la bistecca e le patatine fritte .... steak and chips
la cotoletta di maiale .... pork chop
l'insalata mista (f) .... mixed salad
i legumi a scelta .... choice of vegetables
il pesce alla griglia .... grilled fish
il pesce spada .... swordfish
il piatto vegetariano ..... vegetarian dish
il pollo alla cacciatora .. chicken hunter-style
il rombo alla griglia ..... grilled trout
le salsicce di maiale .... pork sausages
le scaloppine di vitello. veal escalopes

Il dolce   Dessert
il gelato al cioccolato ... chocolate ice cream
il gelato alla fragola ..... strawberry ice cream
il gelato artigianale ...... home made ice cream
la macedonia di frutta .. fruit salad
la panna montata .... whipped cream
i pasticcini .... cakes, pastries
la scelta di formaggi .... cheese selection
il tiramisù .... tiramisù
la torta di frutta .... fruit tart
la torta di mele .... apple tart
la torta gelata .... ice-cream tart
lo yogurt .... yoghurt

Sulla tavola   On the table
il bicchiere .... glass
la bottiglia .... bottle; jug
la caffettiera .... coffee pot
la caraffa .... carafe (water, wine)

il coltello .... knife
il cucchiaio .... spoon
il cucchiaino .... teaspoon
la forchetta .... fork
l'insalatiera (f) .... salad bowl
il pepe .... pepper (spice)
il piattino .... saucer
il piatto .... plate
il sale .... salt
la tazza .... cup
la tovaglia .... tablecloth
il tovagliolo .... napkin, serviette

Al caffè   At the café
Le bevande   Drinks
l'acqua minerale (frizzante) (f)
.... (sparkling) mineral water
l'aperitivo (m) .... pre-meal drink, aperitif
l'aranciata (f) .... orange juice
la birra....................... beer
il caffè espresso .... coffee (strong black)
il caffelatte .... white coffee
la cioccolata calda .... hot chocolate
la coca-cola™ .... coca cola™
il cubetto di ghiaccio ... ice cube
la limonata .... lemonade
il sidro........................ cider
la spremuta di frutta .... freshly-squeezed fruit juice
la spremuta di limone .. fresh lemon juice
il succo di frutta .... fruit juice
il tè .... tea
il vino bianco .... white wine
il vino rosso............... red wine

Uno spuntino   A snack
le chips...................... crisps
la ciambella zuccherata ... doughnut
la frittella................... pancake
il gelato .... ice cream
l'hamburger (m) .... hamburger
il panino al formaggio . cheese sandwich
il panino al tonno........ tuna sandwich

la pasta .... sweet bun, pastry

le patatine fritte .... chips

un sacchetto di patatine ... cone of chips

il tost .... toasted sandwich

il tost alla Valdostana .. toasted sandwich with cheeese and ham

il tramezzino................ sandwich

Esclamazioni   **Exclamations**

Alla salute! .... Cheers!

Basta, grazie!............... That is enough, thanks

Buon appetito!............ Enjoy your meal!

No, grazie! .... No, thank you!

Per favore................... Please

Verbi utili   **Useful verbs**

accontentare .... to please

andare* matto per *irreg* ... to love

assaggiare.................... to try

avere fame *irreg* .... to be hungry

avere sete *irreg* .... to be thirsty

avere voglia di *irreg* .... to feel like

bere *irreg*.................... to drink

cenare.......................... to have evening meal

costare*....................... to cost

desiderare .... to want

detestare..................... to hate

fare colazione *irreg* ..... to have breakfast

lamentarsi*................. to complain

mangiare .... to eat

offrire *irreg* .... to offer

ordinare...................... to order

passare* .... to pass

portare......................... to bring

pranzare .... to have lunch

preferire (isc) .... to prefer

prendere *irreg*............. to take, to have

prenotare .... to reserve

raccomandare .... to recommend

scegliere *irreg* .... to choose

servire .... to serve

volere *irreg* .... to wish, want

For festivals see page 45

For recipe words see page 58

For national and special foods see page 82

For lists of fruit, vegetables, fish, meat and general foodstuffs see page 55

For money and prices see pages 79, 59

For weights and measures see page 58

Frasi

Ho fame *I'm hungry*

Ho sete *I'm thirsty*

Ha un tavolo per due persone? *Have you a table for two?*

Ho prenotato un tavolo a nome di Smith *I've booked a table in the name of Smith*

Il menù, per favore *May I have the menu, please?*

Mi può spiegare che cosa vuole dire "alla romana"? *Please can you explain what "alla romana" means?*

Vorrei ordinare *I would like to order*

Prendo il menù da 30.000 lire *I'll have the thirty thousand lira menu*

Come antipasto prendo i pomodori ripieni *For starter, I'll have stuffed tomatoes*

Come secondo prendo il pesce spada alla griglia *For main course I'll have grilled swordfish*

Per dolce prendo una macedonia *For dessert, I'll have a fruit salad*

Non mi piacciono i fagiolini *I don't like French beans*

Mi porti ancora un po' di pane, per favore *May we have more bread, please?*

Mi può cambiare questo bicchiere, per favore? *Will you change this glass, please?*

Manca una forchetta *We need another fork*
Il conto, per favore *May I have the bill, please?*
Il servizio è compreso? *Is service included?*
Dov'è il gabinetto, per favore? *Where is the toilet, please?*
Si può telefonare da qui? *May we phone from here?*

LA MIA FAMIGLIA, I MIEI AMICI ED IO

Generale   General

L'indirizzo   **Address**
il CAP .... postcode
la città......................... town
il codice postale .... postcode
il domicilio .... place of residence
l'indirizzo (m) .... address
il numero di fax .... fax number
il numero di telefono ... phone number
la provincia................. province
la via .... street

L'identità   **Identity**
l'altezza...................... height, size
la carta d'identità .... identity card
il cognome.................. surname
la data di nascita .... date of birth
il documento d'identità ... proof of identity
il luogo di nascita .... place of birth
il nome .... name
il nome (di battesimo).. first name
il nome da ragazza .... maiden name
il passaporto .... passport
Signorina................. Miss
Signor(e) .... Mr
Signora................... Mrs, Ms
il soprannome .... nickname

L'età   **Age**
l'annata (f).................. year
l'anno (m) .... year

il compleanno.............. birthday
la data......................... date
la firma....................... signature
il mese........................ month
la nascita .... birth
la vecchiaia .... old age
la vita .... life

For days of week see page 95
For months of year see page 95
For numbers see page 93

La famiglia e gli amici
Family and friends

La famiglia nucleare   Close family
il babbo .... daddy
la figlia...................... daughter
la figliastra .... stepdaughter
il figliastro.................. stepson
il figlio.......................son
il fratellastro............... half brother
il fratello .... brother
i genitori..................... parents
la madre .... mother
la mamma................... mummy, mum
il marito .... husband
la matrigna .... stepmother
la moglie .... wife
il padre....................... father
il papà .... daddy

il patrigno	stepfather
la sorella	sister
la sorellastra	half sister

Altri parenti   **Other relatives**

la cognata	sister-in-law
il cognato	brother-in-law
la cugina	female cousin
il cugino	male cousin
la fidanzata	fiancée
il fidanzato	fiancé
il genero	son-in-law
la madrina	godmother
il nipote	nephew; grandson
la nipote	niece; granddaughter
i nipoti(ni)	grandchildren
la nonna	grandmother
i nonni	grandparents
la nonnina	granny, grandma
il nonnino	grandad
il nonno	grandfather
la nuora	daughter-in-law
il padrino	godfather
la suocera	mother-in-law
lo suocero	father-in-law
la zia	aunt
lo zio	uncle

Amici   **Friends**

l'amica (f)	friend (girl)
l'amica di penna	penfriend
l'amichetta (f)	girlfriend
l'amichetto (m)	boyfriend
l'amico (m)	friend (boy)
l'amico di penna (m) ...	penfriend
il compagno	friend
la ragazza	girlfriend
il ragazzo	boyfriend
il vicino (di casa)	neighbour

l'adolescente (m, f)	teenager
l'adulto (m)	adult
il bambino	child

il celibe	single man
la divorziata	divorced woman
il divorziato	divorced man
la donna	woman
le gemelle	twins (girls)
i gemelli	twins (boys, mixed)
la gente	people
la giovane generazione	the younger generation
il neonato	baby
la nubile	single woman
le persone della terza età...	senior citizens
la ragazza	girl
il ragazzo	boy
lo scapolo	single man
la signora	lady
il signore	gentleman
gli sposini	newly-weds
lo straniero	foreigner, stranger
la straniera	foreigner, stranger
l'uomo (m)	man
la vecchia generazione.	the older generation
la vedova	widow
il vedovo	widower

Aggettivi   **Adjectives**

adottato	adopted
anziano	aged, elderly, old
celibe	single
divorziato	divorced
familiare	of the family
fidanzato	engaged
in affidamento	fostered
maggiore	elder, eldest
minore	younger, youngest
orfano	orphaned
separato	separated
sposato	married
vedovo	widowed

anglicano	anglican
ateo	atheist
cattolico	Catholic
cristiano	Christian

ebreo .... Jewish
indù .... Hindu
mussulmano .... Muslim
protestante .... Protestant
senza religione .... of no religion
sikh .... Sikh

Com'è?   Appearance
i baffi .... moustache
la barba .... beard
la carnagione .... complexion
la coda di cavallo .... ponytail
la frangia .... fringe
gli occhiali .... pair of glasses
il peso .... weight
la treccia .... plait

For parts of body see page 19

Aggettivi   Adjectives
abbronzato .... tanned
alto .... big, tall
basso .... short
bello *irreg* .... handsome, good-
                          looking
biondo .... blonde
brutto .... ugly
carino .... pretty
di altezza media .... of average height
di razza bianca .... white
di razza nera .... black
forte .... strong
giovane .... young
grasso .... fat
liscio .... straight (hair)
lungo .... long
magro .... thin
pallido .... pale
piccolo .... small
riccio .... curly
robusto .... sturdy
rosso .... red (hair)
snello .... slim

tarchiato .... stocky
vecchio .... old

Sono alto...   I am ... tall
Sono alto 1m e 45 (cm) I am 4ft 9in
Sono alto 1m e 52 .... I am 5 ft
Sono alto 1m e 60 .... I am 5ft 3in
Sono alto 1m e 68 .... I am 5ft 6in
Sono alto 1m e 75 .... I am 5ft 9in
Sono alto 1m e 83 .... I am 6ft

Peso...   I weigh
Peso 38 chili .... I weigh 6 stone
Peso 45 chili .... I weigh 7 stone
Peso 51 chili .... I weigh 8 stone
Peso 57 chili .... I weigh 9 stone
Peso 64 chili .... I weigh 10 stone
Peso 70 chili .... I weigh 11 stone

I colori   Colours
arancione .... orange
azzurro .... light blue
bianco .... white
blu .... blue
blu marino .... navy blue
blu scuro .... dark blue
castano .... chestnut
cremisi .... crimson
giallo .... yellow
grigio .... grey
lilla .... mauve
marrone .... brown, maroon
marrone chiaro .... light brown
nero .... black
rosa .... pink
rosso .... red
verde .... green
viola .... purple

Il carattere   Character
l'amicizia (f) .... friendship
l'amore (m) .... love
l'arroganza (f) .... arrogance

la bontà	kindness, goodness
la confidenza	confidence
la dolcezza	gentleness
l'egoismo (m)	selfishness
il fascino	charm
la gelosia	jealousy
la generosità	generosity
la gentilezza	kindness
l'immaginazione (f)	imagination
l'intelligenza (f)	intelligence
l'orgoglio (m)	pride
la pigrizia	laziness
la preoccupazione	care, worry
lo scherzo	joke
il senso dell'umorismo	sense of humour
il sentimento	feeling
la sicurezza di sè	self-confidence
la speranza	hope

Aggettivi   **Adjectives**

arrabbiato	angry, furious
attivo	active
calmo	calm
cattivo	nasty
cattivello	naughty
contento	pleased
cortese	polite
divertente	amusing
felice	happy
forte *coll*	great!
gentile	kind
grande	great
importante	important
infelice	unhappy, unfortunate
intelligente	intelligent
maleducato	ill-mannered
piacevole	pleasant
povero	poor
serio	serious
simpatico	friendly, nice
sportivo	sporty, athletic
timido	shy

tranquillo	quiet
abile	clever, skilful
attraente	charming
allegro	cheerful
ansioso	anxious
buffo	funny
in collera	angry
fiero (di)	proud (of)
geloso	jealous
lavoratore	hard-working
matto	mad
nervoso	nervous
onesto	honest
pigro	lazy
scemo *coll*	idiotic
scortese	impolite
sgradevole	unpleasant
strano	odd, strange
stupido	stupid
triste	sad
viziato	spoiled
astuto	wily, cunning
ben educato	well-behaved
carino	cute
deluso	disappointed
depresso	depressed
disgustoso	disgusting
distratto	absent-minded
divertente	funny
dotato	gifted
egoista	selfish
innamorato (di)	in love (with)
insopportabile	unbearable
maldestro	clumsy
parsimonioso	thrifty, careful with money
pigro	idle, lazy
scontroso	sullen
spaventato	frightened
stordito	scatter-brained
testardo	obstinate

La nazionalità   Nationality

britannico .... British
europeo .... European
gallese .... Welsh
indiano .... Indian
inglese .... English
irlandese .... Irish
originario delle Indie Occidentali
    .... West Indian
pakistanese .... Pakistani
scozzese .... Scottish

For other nationalities see page 91

Gli animali domestici   Pets

l'animale (m) .... animal
il canarino .... budgerigar
il cane .... dog
il cavallo .... horse
il coniglio .... rabbit
il criceto .... hamster
il cucciolo .... puppy
il gatto .... cat
il gerbillo .... gerbil
il micino .... kitten
il pappagallo .... parrot
il pesce rosso .... goldfish
il porcellino d'India ..... guinea pig
la tartaruga .... tortoise
il topo .... mouse
l'uccello (m) .... bird

Com'e?   What it it like?

capriccioso .... skittish (horse)
disobbediente .... disobedient
giocherellone .... playful (puppy, kitten)
giovane .... young
grosso .... big
obbediente .... obedient
piccolo .... small
vecchio .... old

For colours see page 29

Verbi utili   Useful verbs

abitare .... to live (at)
amare .... to like, love
apparire *irreg* .... to appear
assomigliare (a) .... to look like
avere l'aria *irreg* .... to seem
avere paura (di) *irreg*... to be afraid
baciare .... to kiss
chiacchierare .... to chatter
chiamare .... to call, to name
chiamarsi* .... to be called
dare un bacio (a) *irreg*. to kiss
descrivere *irreg* .... to describe
essere* di buon umore *irreg*
    .... to be in a good mood
essere* di cattivo umore *irreg*
    .... to be in a bad mood
essere* *irreg* .... to be
fare la conoscenza (di) *irreg*
    .... to get to know s.o.
fidanzarsi* .... to get engaged
firmare .... to sign
indossare .... to wear
litigare .... to fall out, to quarrel
nascere* *irreg* .... to be born
pesare .... to weigh
riconoscere *irreg* .... to recognise
ringraziare .... to thank
scrivere *irreg* .... to write
sembrare .... to seem
scomporre *irreg* .... to spell
sposare .... to marry
sposarsi* .... to get married
trovare .... to find

For festivals and celebrations see page 45
For jobs see page 73
For pocket money see page 39
For Saturday jobs see page 33
For hobbies and interests see page 33

Frasi

Mi chiamo David. Ho sedici annni. Abito a Londra *My name is David. I am 16. I live in London*

Il mio compleanno è il 19 maggio *My birthday is May 19th*

Sono nato nel millenovecentoottantadue *I was born in 1982*

Sono di Edimburgo *I come from Edinburgh*

Sono nato a York *I was born in York*

Sono gallese/inglese/irlandese/scozzese *I am Welsh/English/Irish/Scottish*

Sono bruno e ho gli occhi marroni *I have black hair and brown eyes*

Ha una barba grigia *He has a grey beard*

Ho un fratello e due sorelle *I have one brother and two sisters*

Davide è più vecchio di Sue *David is older than Sue*

Mio padre è costruttore; mia madre è infermiera *My father is a builder; my mother is a nurse*

I miei genitori sono divorziati *My parents are divorced*

Vado d'accordo con mio fratello *I get on well with my brother*

Mia sorella è molto sportiva *My sister is very keen on sport*

Ho un cane; è grosso e marrone *I have a dog; he is big and brown*

IL TEMPO LIBERO E IL FINE SETTIMANA

Generale	General
l'abbonamento (m)	subscription, season ticket
l'ambiente (m)	atmosphere
il concorso	competition
il divertimento	entertainment
il fine settimana	weekend
il passatempo	pastime
la serata	evening, party
lo spettacolo	entertainment, show
il tempo libero	free time
le vacanze	holidays

La gente — People

l'adolescente (m, f)	teenager
l'arbitro (m)	referee
l'atleta (m, f)	athlete
l'attore di prosa	actor (theatre)
l'attore (m)	(film, TV) actor
l'attrice (f)	(film, TV) actress
l'attrice di prosa	actress (theatre)
il campione	champion
la campionessa	champion
il, la cantante	singer
il giocatore	player
la giocatrice	player
la gioventù	youth, young people
il socio	member
la squadra	team
la stella del cinema	film star

I lavori del sabato — Saturday jobs

il baby-sitting	baby sitting
il cassiere	cashier
il club di tennis/football	tennis/football club
la commessa	sales assistant
il commesso	sales assistant
il lavoro	work
la mattina	morning

il mercato	market
il pomeriggio	afternoon
la sera	evening
la stazione di servizio	filling station
il supermercato	supermarket

Verbi utili — Useful verbs

consegnare	to deliver
guadagnare soldi	to earn money
lavorare	to work
pulire (isc)	to clean
vendere	to sell

Aiutare in casa — Helping at home

apparecchiare la tavola	to set the table
badare ai bambini	to baby sit
curare il giardino	to garden
dare *irreg* da mangiare al gatto	to feed the cat
fare la spesa *irreg*	to do the shopping
fare le faccende domestiche *irreg*	to do housework
lavare l'automobile (f)	to wash the car
lavare le stoviglie	to wash up
lucidare	to polish
passare l'aspirapolvere	to vacuum
portare a spasso il cane	to walk the dog
pulire (isc)	to clean
rifare il letto *irreg*	to make my bed
riordinare la (mia) camera	to tidy my room
scopare	to sweep
sparecchiare la tavola	to clear the table
spolverare	to dust
stirare	to iron
tagliare l'erba del prato	to mow the lawn

Restare a casa — Staying at home
Cosa si fa? — What do you do?

le carte	cards
la collezione	collection
la cucina	cooking

il cucito .... sewing
il disegno .... drawing
la fotografia .... photography
il francobollo .... stamp
il gioco della dama ...... draughts
il gioco di simulazione. ... board game
la lettura .... reading
la macchina fotografica ... camera
il manifesto................. poster
il modellismo.............. model-making
la musica .... music
le parole (in)crociate.... crosswords
la pellicola.................. film (photography)
la pittura..................... painting
la rivista .... magazine
la rivista illustrata........ magazine
il romanzo .... novel
il romanzo di fantascienza ... sci-fi story
il romanzo giallo .... detective story
gli scacchi................... chess

L'informatica   IT
la banca dati .... data-base
la barra di comando ..... joystick
il byte......................... byte
il CD-ROM .... CD ROM
la chip .... chip
il dischetto.................. disk
il disco fisso .... hard disk
l'elaborazione del testo (f) ... word processing
il gioco elettronico....... computer game
il lettore di dischetto.... disk drive
il menù .... menu
il monitore................. monitor
il mouse...................... mouse
la musica elettronica.... computer music
l'ordinatore (m) .... computer
la penna ottica .... light pen
lo schermo.................. screen
la stampante................ printer
la tastiera .... keyboard
il videogioco............... video game

la vita........................ life

aprire *irreg* .... to open
caricare .... to load
formattare................... to format
rivedere .... to edit
salvare........................ to save
stampare..................... to print
tagliare e incollare....... to cut and paste
trasferire (isc)............. to download

La musica   Music
la batteria .... drum kit
la canzone .... song
la cassetta.................. cassette
il CD .... CD
la chitarra .... guitar
il clarinetto................. clarinet
la corale .... choir
il disco di successo ...... hit
il flauto .... flute
il flauto dolce .... recorder
il gruppo..................... group
l'orchestra (f) .... orchestra, band
il piano...................... piano
lo stereo personale....... personal stereo
lo strumento .... instrument
la tastiera elettronica.... keyboard
la trombetta................ trumpet
il trombone................. trombone
il violino.................... violin

Dove andate?   Where do you go?
l'associazione (f) .... club
l'associazione giovanile (f).. youth club
il ballo....................... ball, dance
il bocciodromo .... bowling alley
il campo sportivo......... sports ground
il centro sportivo .... sports centre
il cinema .... cinema
il circo....................... circus
il club........................ club
il concerto .... concert

la conferenza .... lecture
la discoteca .... disco, night club
l'escursione (f) .... outing
l'esposizione (f) .... exhibition
la festa .... party (celebration)
la galleria .... gallery
la mostra .... exhibition
la piscina .... swimming pool
la pista di pattinaggio... ice rink
la riunione .... meeting
la sala .... room, hall
la serata .... evening, party
la società .... society
lo stadio .... stadium
il teatro .... theatre
la visita guidata............ guided tour
lo zoo .... zoo

Gli sport   Sport

Generale   General
il campionato .... championship, contest
il campione................. champion
il concorso................. competition
il giocatore .... player
il gioco .... game
il gol........................... goal
il pareggio .... draw
la partita .... match
la squadra .... team
il torneo..................... tournament

Quale sport ti piace?
        Which sport do you like?
le arti marziali .... martial arts
l'atletica (f)................ athletics
il basket..................... basketball
il biliardo................... snooker
il bowling .... bowling
il calcio...................... football
il ciclismo.................. cycling
il cricket .... cricket
l'equitazione (f) .... horse riding
il footing.................... jogging

la ginnastica .... gymnastics
il golf .... golf
l'hockey (m)............... hockey
il jogging.................... jogging
il judo........................ judo
il lancio di freccette..... darts
il nuoto...................... swimming
la palla a rete.............. netball
la pallamano............... handball
la pallavolo................. volleyball
il pattinaggio .... ice skating
il pattinaggio a rotelle.. roller skating
la pesca .... fishing
il ping-pong................ table tennis
il pugilato.................. boxing
il rugby..................... rugby
il salto in alto............. high jump
il salto in lungo........... long jump
lo sci .... ski-ing
gli sport invernali .... winter sports
gli sport nautici .... water sports
la tavola a vela .... sail boarding
il tennis .... tennis
la vela........................ sailing
il volo con il deltaplano... hang gliding

L'attrezzatura sportiva
        Sports equipment
la canna da pesca......... fishing rod
il casco da equitazione. riding hat
il costume da bagno..... swimsuit
la mazza da cricket...... cricket bat
la mazza da hockey ..... hockey stick
la bicicletta fuoristrada ... mountain bike
la palla .... ball (small)
il pallone .... football
la racchetta da tennis ... tennis racquet
le scarpe da tennis .... trainers
le scarpe sportive......... trainers
gli sci .... skis
la tavola da surf........... surfboard
la tavola da vela........... sailboard

Com'era? — What was it like?

altro	other
appassionante	exciting
buffo	funny
buono	good
comico	funny
discreto	not bad
divertente	amusing, fun
formidabile	great, super
grande *coll*	great, brilliant
impressionante	impressive
inetto	useless
magnifico	super
meraviglioso	marvellous
noioso	boring
orribile	ugly, horrible
piacevole	pleasant, nice
proibito	not allowed
rumoroso	noisy
sportivo	sporty, keen on sport
tremendo	awful

Comprare i biglietti — Buying tickets

l'adulto (m)	adult
la bambina	child
il bambino	child
il biglietto	ticket
il gruppo	group
l'ingresso (m)	entrance (cost)
il posto	seat
il prezzo	cost, price
la riduzione per bambini	reduction for children
lo studente	student
la studentessa	student
la tariffa	cost
la tariffa ridotta	reduced rate
la tariffa studenti	student rate
il terreno	ground, pitch

Le ore di apertura — Opening times

nei giorni festivi	on bank holidays
la mattina	in the morning
fra mezz'ora	in half an hour
fra un'ora	in an hour
nel pomeriggio	in the afternoon
la sera	in the evening
all' una	at one o'clock
chiuso	closed
aperto	open
a partire da	from
fino a	until

Andare in città — Going into town

in autobus	by bus
in auto(mobile)	by car
in bicicletta	on a bicycle
in macchina	by car
in metropolitana	on the tube, underground
a piedi	on foot
in taxi	by taxi
in tram	by tram
in treno	by train
l'andata (f)	single ticket
l'andata e ritorno	return ticket
la biglietteria	ticket office
la biglietteria automatica	ticket machine
la coincidenza	connection
la fermata d'autobus	bus stop
la linea del bus	bus route
l'ora di punta (f)	rush hour
l'orario (m)	timetable
il percorso del bus	bus route
la stazione	station
la stazione autolinee	coach station
la stazione di metropolitana	tube station
l'ufficio informazioni (m)	information office

Aggettivi — Adjectives

diretto	direct, through
obbligatorio	compulsory
primo	first
prossimo	next

regionale...................... local
secondo .... second
ultimo.......................... last
valevole...................... valid

Quando?   **When?**
fra dieci minuti............ in ten minutes
fra un quarto d'ora....... in a quarter of an hour
fra mezz'ora................ in half an hour
fra tre quarti d'ora .... in three quarters of an hour
fra un'ora.................... in an hour

d'abitudine .... usually
durante il fine settimana... during the weekend
generalmente .... usually
normalmente............... normally, usually
sempre........................ still, always
per lungo tempo.......... for a long time

For days of the week see page 95

Verbi utili   **Useful verbs**
acquistare .... to buy
andare* matto per *irreg coll*.. to like a lot
andare* *irreg* .... to go
aprire *irreg* .... to open
ascoltare .... to listen (to)
ballare .... to dance
chiudere *irreg* .... to close
collezionare .... to collect
cominciare.................. to begin
comp(e)rare .... to buy
costare*...................... to cost
durare*....................... to last
essere* *irreg* .... to be
fare collezione (di) *irreg*...... to collect
fare nuoto *irreg*........... to swim
fare una passeggiata *irreg* ....to go for a walk
finire (isc)................... to finish
leggere *irreg* .... to read
nuotare .... to swim
pagare § .... to pay (for)
partire*...................... to leave

restare*...................... to stay
rientrare*................... to come back, go back
rimanere* *irreg* .... to stay
trovare....................... to find
uscire* *irreg* .... to go out

andare* a vedere *irreg*. to go and see
andare* in bicicletta *irreg*...to cycle
andare* in città *irreg* ... to go to town
correre* *irreg* .... to run
essere* situato *irreg*..... to be situated
fare ciclismo *irreg* .... to cycle
fare fotografie *irreg*..... to take photos
fare il giro dei negozi *irreg*
.... to go round the shops
fare una camminata *irreg*
.......................to hike, go for a long walk
fare una partita di tennis *irreg*
.... to play a game of tennis
fermarsi*.................... to stop
giocare§ a bocce.......... to play boules
giocare§ a carte .... to play cards
guardare .... to watch
guardare le vetrine....... to go window shopping
interessarsi* di............ to be interested in
praticare§ uno sport..... to do a sport
riservare un posto........ to book a seat
ritornare* .... to return, go back
squalificare................. to disqualify
trovarsi*..................... to be (situated)
uscire* di casa *irreg*. ... to leave the house
vincere *irreg*.............. to win

andare* a cavallo *irreg* ... to go horseriding
andare* a pesca *irreg*... to go fishing
cantare nel coro .... to sing in the choir
convalidare................. to stamp, validate
convalidare il biglietto. to date stamp ticket
difendere *irreg*............ to defend
dipingere *irreg*............ to paint
disegnare.................... to draw
fare bricolage *irreg*...... to do odd jobs/DIY
fare lavoretti manuali *irreg*....to do DIY

fare equitazione *irreg* ... to go horse riding
fare la coda *irreg* .... to queue
fare modellismo *irreg* .. to make models
fare pattinaggio a rotelle *irreg*
.... to roller-skate
fare vela *irreg* .... to go sailing
fare windsurf *irreg* .... to windsurf
girare un film .... to make a film
pattinare su ghiaccio .... to ice-skate
perdere *irreg* .... to lose
rilassarsi* .... to relax
riposarsi* .... to rest
sciare .... to ski
segnare un gol .... to score a goal
suonare il clarinetto ..... to play the clarinet
suonare il flauto .... to play the flute
suonare il piano .... to play the piano

suonare il violino .... to play the violin
suonare il violoncello .. to play the cello
suonare la batteria .... to play the drums
suonare la chitarra .... to play the guitar
visitare un castello .... to look round a stately
home/castle

andare* a messa *irreg* .. to go to mass
andare* alla moschea *irreg*
.... to go to the mosque
andare* alla sinagoga *irreg*
.... to go to synagogue

For seaside holidays see page 83
For winter sports see page 83
For outings see page 84
For special occasions and festivals see page 45

Frasi

Gioco a calcio *I play football*
Suono il violino *I play the violin*
Recito in una commedia teatrale *I am acting in a play*
Recito la parte dell'agente segreto *I play the secret agent*
Mi piace andare a pesca *I like going fishing*
Abbiamo vinto la partita di calcio *We won the football match*
Vado matto per la musica *I am crazy about music*
Detesto gli sceneggiati *I hate soaps*
Le mie letture preferite sono i libri di fantascienza *My favourite kind of book is science fiction*

LA MANCETTA

Generale — General

la banconota ... bank note
il biglietto di banca ... bank note
la lira sterlina ... pound
la moneta ... coin
gli spiccioli ... small change
caro ... expensive
costoso ... expensive
molto ... a lot
povero ... poor, badly off
ricco ... rich

alla settimana ... each week
al mese ... per month

Spendere soldi — Spending money

l'abbigliamento (m) ... clothes
il biglietto ... ticket
la cassetta ... cassette
il CD ... CD
la rivista ... magazine
le scarpe ... shoes
le scarpe da ginnastica . trainers
la sigaretta ... cigarette
lo stereo personale ... personal stereo

i vestiti ... clothes
il videogioco ... video-game

Risparmiare — Saving money

la bicicletta fuoristrada ... mountain bike
l'ordinatore (m) ... computer
il regalo ... present
le vacanze ... holidays

Verbi utili — Useful verbs
avere bisogno di *irreg* .. to need
avere pochi soldi *irreg*. to be short of money
avere un conto scoperto *irreg* ... to be in the red
cercare un lavoro ... to look for a job
comp(e)rare ... to buy
costare* ... to cost
essere* senza soldi *irreg* .. to be broke
fare economie *irreg* ... to save
fare un prestito *irreg*... to borrow
spendere *irreg* ... to spend
spendere troppi soldi *irreg* ... to spend too much money

For other money words see page 79

Frasi

Guadagno ... lire sterline all'ora *I earn £... an hour*
Lavoro il sabato *I work on Saturdays*
Lavoro tre sabati su quattro *I work three Saturdays out of four*
Comincio alle otto e finisco alle cinque *I start at eight and finish at five*
Sto risparmiando per comprare un ordinatore *I am saving up to buy a computer*
Ho speso tutto *I've spent everything*
Sono al verde *I'm broke*

I RAPPORTI UMANI E LA VITA DI RELAZIONE

Salutarsi   Exchanging greetings

Buongiorno, Signor Toscani
..................Good morning, Mr Toscani
Buongiorno, Signora Fabbri
..................Good afternoon, Mrs Fabbri
Buona sera, Signorina.. Good evening, Miss
Ciao........................... Hi!
Pronto........................ Hallo (phone)
Arrivederci................. Goodbye
A presto...................... See you soon
A più tardi................. See you later
A domani.................... See you tomorrow

Come sta/stai/state?..... How are you?
Molto bene, grazie....... Very well, thank you
Così così..................... So-so
Le/Ti presento Fabio ... May I introduce Fabio?
Piacere....................... Pleased to meet you
Benvenuto!................. Welcome!

Avanti!....................... Come in
Si accomodi/accomodati/accomodatevi!
.... Sit down
Per piacere/per favore.. Please
Grazie........................ Thank you
Scusi/scusa/scusate!..... Excuse me

Lubrificanti   Fillers

Sì, certo...................... Yes, of course
D'accordo................... Agreed
Va bene...................... Agreed
È carino...................... That's nice
Volentieri .... With pleasure
Con piacere .... With pleasure
Credo di sì.................. I think so
Non credo................... I don't think so
Suppongo di sì............. I suppose so
Probabilmente .... I suppose so
Forse .... Perhaps
Per me è lo stesso .... I don't mind
Che peccato!............... What a shame!

Scusarsi   Apologising

Mi dispiace .... I am sorry
Non l'ho fatto apposta..I didn't do it on
      purpose
Non c'è problema *coll*..No harm done
Non importa................. It doesn't matter
Prego .... Don't mention it
Non si preoccupi/Non ti preoccupare/
      Non preoccupatevi...Don't worry
Le/Ti/Vi spiace?.......... Do you mind?
Non ne parliamo più..... Let's forget it

Auguri   Best wishes

Buon anno! .... Happy New Year!
Buon compleanno! .... Happy Birthday!
Buon Natale!............... Happy Christmas!
Buona giornata!........... Have a nice day!
Buona Pasqua! .... Happy Easter!
In bocca al lupo! .... Good luck!

Le opinioni   Opinions

Mi piace/piacciono .... I like ...
Non mi piace/piacciono ...
      .... I don't like ...
Adoro ... . I love ...
Detesto .... I hate ...
Non posso soffrire ... ... I hate ...
Non sopporto ... ... I can't stand ...
Dipende .... That depends
Preferisco ... . I prefer ...

È delizioso .... It's delicious
È disgustoso................ It's disgusting
È interessante.............. It's interesting
È magnifico .... It's superb
È noioso...................... It's boring
È terribile................... It's awful

bravo in....................... good at
debole in .... poor at
difficile .... difficult

40

gentile .... kind
inetto .... useless at
simpatico .... nice
terribile....................... awful

Domande   Questions

Che? .... What?
Che cosa? .... What?
Chi?............................. Who?
Com'è ...?..................... What is ... like?
Come? .... How? Pardon?
Cosa?........................... What?
Dove...?....................... Where?
Perché?........................ Why?
Posso ...? .... May I ...? Can I ...?
Potrei ...? .... Could I ...?
Quale, Quali?.............. Which?
Quando? .... When?
Quanti ...?/Quante ...? .. How many ...?
Si può ...? .... Can we ...?

I problemi degli adolescenti
Teenage problems

l'adolescente (m, f) ...... teenager
l'amichetta (f).............. girlfriend
l'amichetto (m)........... boyfriend
l'amico (m)................. friend, mate
l'amica (f) .... friend, mate
il compagno................ friend, mate
la compagna .... friend, mate
i genitori..................... parents
l'immigrato (m).......... immigrant
il ladro........................ thief
i professori .... teachers
il teppista................... hooligan

I problemi   Problems

l'aggressione (f)........... attack, mugging
l'Aids (m)................... AIDS
l'apprendistato (m) ...... apprenticeship
l'assenteismo (m) .... truancy
l'atteggiamento (m) ..... attitude

la bugia .... lie
la casa .... home
la disoccupazione .... unemployment
la divisa scolastica....... school uniform
il divorzio................... divorce
la droga...................... drug
gli esami..................... examinations
la formazione .... training (job)
il furto nei negozi........ shop-lifting
l'impiego (m).............. work
l'incomprensione (m).. lack of understanding
le intimidazioni .... bullying
il lavoro...................... job
il lavoro scolastico ...... school work
i maltrattamenti .... abuse
la mancanza di soldi.... lack of money
la mancanza di trasporti....lack of transport
la materia scolastica .... school subject
la moda .... fashion
la musica pop .... pop music
i foruncoli .... spots, zits
la pelle .... skin
la posta del cuore .... agony column
le pressioni dei genitori ....parental pressure
il razzismo.................. racism
il rifugio..................... refuge
il salto generazionale... generation gap
il, la senzatetto .... homeless person
il tran-tran quotidiano *coll*... daily routine
il vandalismo.............. vandalism
la violenza.................. violence

Aggettivi   Adjectives

alcolizzato.................. alcoholic
annoiato .... bored
ben educato .... well-behaved
bene informato .... well-informed
dotato......................... gifted
intelligente .... intelligent
lontano dalla città........ a long way out of town
male informato............ ill-informed
noioso .... boring

obbligatorio .... compulsory
ovvio .... glaring, obvious
pigro .... lazy
prepotente .... bully
privilegiato .... privileged
uno schianto (in) *coll* ... no good (at)
stressato .... stressed out
svantaggiato .... disadvantaged
viziato .... spoiled

Espressioni   **Expressions**
Mi affatica .... It makes me tired
Mi annoia .... It bores me
Mi dà fastidio .... It annoys me
Mi dà sui nervi .... It gets on my nerves
Mi irrita .... It irritates me
Mi stanca .... It makes me tired

Verbi utili   **Useful verbs**
aiutare in casa .... to help in the house
alzarsi* tardi .... to get up late
andare* a letto presto *irreg*
.... to go to bed early
andare* a letto tardi *irreg* .... to go to bed late
andare* d'accordo con *irreg*
.... to get on well with
capire (isc) .... to understand
comprendere *irreg* .... to understand
dimenticare § .... to forget
diventare* *irreg* .... to become

divertirsi* .... to have fun
dovere *irreg* .... to have to
dubitare di sè .... to doubt oneself
essere* comprensivo .... to be understanding
essere*senza domicilio fisso
.... to be of no fixed address
guadagnare denaro/soldi ... to earn money
lavare i piatti .... to do the washing up
litigare§ .... to fight, quarrel
mettere in ordine (la propria) camera *irreg*
.... to tidy one's room
perdere *irreg* .... to lose
permettere *irreg* .... to allow
ripassare .... to revise
saltare la scuola *coll* ..... to skive off school
trovare ... difficile .... to find ... difficult

accettare .... to accept
arrossire (isc) .... to blush
criticare § .... to criticise
dire bugie *irreg* .... to lie
dire la verità *irreg* .... to tell the truth
espellere *irreg* .... to expel, send away
nascondere la verità *irreg* .... to hide the truth
rubare .... to steal

For leisure time and activities see page 33
For café and restaurant see page 24
For TV, radio, music, etc see page 16

Frasi

Vai d'accordo con i tuoi genitori/tua madre/tuo padre/tuo fratello/tua sorella? *Do you get on well with your parents/mother/father/brother/sister?*

Hai dei problemi a scuola? *Have you any problems at school?*

Ti permettono di uscire con gli amici durante la settimana/al fine-settimana? *Are you allowed to go out with your friends during the week/at weekends?*

Per quali motivi litigate a casa? *What do you argue about at home?*

Cosa ti dà fastidio? *What annoys you?*

Quello che più mi dà fastidio è ... *What annoys me most is ...*

USCIAMO?

Dove andiamo?   Where shall we go?

il bar........................... bar
il caffè........................ café
il centro sportivo.......... sports centre
il cinema...................... cinema
la discoteca.................. disco
la festa........................ party (celebration)
i negozi........................ shops
il night-club................. nightclub
il parco........................ park
la partita...................... match
la piscina..................... swimming pool
la pista di pattinaggio... ice rink
il teatro....................... theatre

For eating out see page 24

Accettare   Accepting

buona idea.................... good idea
certamente.................... certainly
con piacere .... with pleasure
d'accordo..................... OK
Dipende....................... It depends
formidabile.................. super
gentile .... nice, kind
grazie........................... thank you
intesi........................... OK, agreed
Mi piacerebbe moltissimo.... I'd love to
naturalmente................ of course
sì .... yes
volentieri .... gladly

Rifiutare   Refusing

È impossibile perché ... It's impossible,
                         because...
Mi dispiace, ma ... . Sorry, but...
Sono spiacente, ma ... . I'm sorry, but ...
Non posso.................... I can't
Non sono libero .... I'm not free
Sarebbe bello, ma ... ... It would be nice but ...

no.............................. no
sfortunatamente.......... unfortunately

Quando ci rivediamo?
When shall we meet?

al fine settimana .... at the weekend
alle sette e mezza........ at 7.30
domani .... tomorrow
dopodomani .... the day after tomorrow
fra due ore.................. in two hours
la settimana prossima .. next week
lunedì prossimo........... next Monday
presto .... soon
questa sera.................. this evening
questo pomeriggio....... this afternoon

For other clock times see page 94
For days of the week see page 95

Dove ci incontriamo?
Where shall we meet?

al bar.......................... in the café
al caffè .... in the café
al ristorante .... in the restaurant
alla fermata d'autobus ... at the bus stop
alla stazione................ at the station
davanti al cinema........ outside the cinema

For town and buildings see page 47

in............................... in
davanti a..................... in front of
dietro.......................... behind
di fronte a................... opposite
a destra di................... to the right of
a sinistra di................. to the left of

Verbi utili   Useful verbs

accettare .... to accept
accompagnare............. to go with
andare*a vedere *irreg* .. to go and see
arrivare*..................... to arrive

43

aspettare .... to wait for
attendere § .... to wait for
avere luogo *irreg* .... to take place
ballare .... to dance
bisogna .... we must, you have to
chiedere *irreg* .... to ask
combinare un incontro ..... to arrange to meet
costare* .... to cost
decidere *irreg* .... to decide
dimenticare § .... to forget
essere* spiacente *irreg* ....to be sorry
incontrarsi* *irreg* .... to meet
invitare .... to invite
pensare .... to think
potere *irreg* .... to be able to, can
proporre *irreg* .... to suggest
rifiutare .... to refuse
rimandare .... to postpone
ringraziare .... to thank
sapere *irreg* .... to know (facts)
uscire* *irreg* .... to go out
vedere *irreg* .... to see
vedersi* *irreg* .... to meet
venire* *irreg* .... to come
volere *irreg* .... to want to

Gli svaghi   Entertainment

il cinema..................... cinema
il concerto .... concert
la discoteca................. disco
la festa....................... party
il ristorante .... restaurant
il teatro...................... theatre

Comprare biglietti   **Buying tickets**
l'adulto (m) .... adult
il bambino .... child
il biglietto................... ticket
la galleria................... circle
il gruppo.................... group

l'ingresso (m)............. entrance (cost)
la platea..................... stalls
il posto .... seat
il prezzo .... cost, price
la riduzione per bambini
.... reduction for children
lo studente.................. student
la tariffa .... cost
la tariffa ridotta .... reduced rate
la tariffa studenti .... student rate

Quando comincia?   **When does it start?**
il giorno festivo........... bank holiday
il mattino................... morning
l'ora (f) .... hour
l'orario di apertura (m)....opening times
l'orario di chiusura (m) ...closing times
l'orario degli spettacoli (m) ...time of the show
il pomeriggio.............. afternoon
la sera........................ evening

aperto .... open
chiuso......................... closed

a partire da .... from
fino a......................... until

Verbi utili   **Useful verbs**
arrivare*..................... to arrive
cercare § .... to look for
cominciare*................. to start (a show)
cominciare a.............. to start doing sthg
costare*....................... to cost
durare*....................... to last
entrare*...................... to go into
finire (isc)* .... to end
recitare .... to act
uscire* *irreg* .... to go out

For clock times see page 94
For numbers see page 93
For days of the week see page 95

FESTE NAZIONALI E RELIGIOSE

Festeggiamo   **We celebrate**

San Silvestro .... New Year's Eve
il Capodanno .... New Year's Day
l'anno nuovo .... New Year
l'Epifania .... Twelfth Night
San Valentino .... St Valentine's Day
Martedì grasso .... Shrove Tuesday
la festa della mamma ... Mother's Day
la festa del papà .... Father's Day
Pasqua .... Easter Day
il primo maggio .... May 1st
la festa della Repubblica .. Italian National Day
Ognissanti................... All Saints (Nov 1st)
il cinque novembre ...... Bonfire Night
la vigilia di Natale .... Christmas Eve
(il giorno di) Natale ..... Christmas Day

il Ramadan .... Ramadan
il Sabbat .... Sabbath
la Pasqua ebrea .... Passover
il Nuovo Anno ebreo ... Rosh Hashana
il Divali .... Divali

il Bar Mitzvah .... Bar Mitzvah
il battesimo................. christening
la cerimonia civile .... civil ceremony
la cerimonia religiosa... church wedding
il compleanno............. birthday
la luna di miele .... honeymoon
il matrimonio.............. marriage
la nascita.................... birth
le nozze .... wedding
l'onomastico (m) .... name day
il ricevimento di nozze ....reception

Generale   General

l'albero (m) di Natale .. Christmas tree
il ballo .... ball
il cartoncino d'auguri .. greetings card
la colomba pasquale..... Italian Easter cake

i confetti.................... sugared almonds
la fava .... bean in Twelfth Night cake
la festa....................... party
la festa di compleanno. birthday party
i fuochi d'artificio .... fireworks
il mughetto................. lily of the valley
la musica.................... music
il panettone................. Italian Christmas cake
Papà Natale .... Father Christmas
il presepio.................. Nativity
la processione............. procession
il regalo..................... present
la storia .... story; history
la torta....................... cake
le uova di cioccolato.... Easter eggs
le uova di zucchero...... sugar eggs

la cattedrale............... cathedral
la chiesa .... church
la moschea.................. mosque
la sinagoga .... synagogue
il tempio sikh .... gurdwara

Le persone   People

l'amico (m) .... friend
l'amica (f) .... friend
la famiglia .... family
i genitori.................... parents
i parenti..................... relatives

il cristiano .... Christian
l'ebreo (m) .... Jew
l'indú (m, f)................ Hindu
il mussulmano............. Muslim
il, la sikh .... Sikh

Com'era?   What was it like?

chiassoso .... noisy
divertente .... good fun
familiare.................... of the family

45

felice .... happy
religioso .... religious
rumoroso .... noisy

Verbi utili　　　　**Useful verbs**

accadere* *irreg* .... to arrive; to happen
andare* al ristorante *irreg*. to go to a restaurant
andare* dagli amici *irreg*.. to visit friends
andare* *irreg* .... to go
ascoltare (la) musica.... to listen to music
augurare .... to wish
avere luogo *irreg* .... to take place
ballare .... to dance
bere *irreg*..................... to drink
cantare........................ to sing
comp(e)rare .... to buy
dare *irreg*.................... to give

divertirsi*.................... to have a good time
festeggiare.................. to celebrate
invitare....................... to invite
mandare .... to send
mangiare .... to eat
regalare .... to give presents
ricevere (gli) amici...... to have friends round
ricevere un regalo........ to receive a present
rimanere* *irreg* .... to stay
scambiarsi* regali........ to exchange presents
succedere* *irreg* .... to arrive; to happen

For other family words see page 27
For food see pages 24, 55
For recipes see page 58
For clothes see page 59

Domande

Dove passi il giorno di Natale/Chanukah/Divali/Eid? *Where do you spend Christmas/Chanukah/Divali/Eid?*

Che cosa fai? *What do you do?*

Che cosa mangi? *What do you eat?*

Ricevi dei regali? *Do you get presents?*

Regalo un CD a mio papà *I am giving my father a CD as a present*

LA CITTÀ E LA CAMPAGNA

Generale — General

l'agglomerato (m)........ built-up area
l'agricoltura (f)........... agriculture
l'ambiente (m)............ environment
la città........................ town
i dintorni.................... surroundings
l'industria (f).............. industry
il paese .... village
la periferia.................. suburbs, outskirts
il quartiere.................. district in large city
il rumore..................... noise
il silenzio.................... silence
lo spazio .... space
la zona........................ district (in large city)

La geografia — Geography

la campagna................ country
la catena di montagne .. mountain range
il clima....................... climate
la collina.................... hill
il deserto.................... desert
la diga........................ dam
il fiume....................... river
l'isola (f) .... island
il lago........................ lake
la montagna................ mountain
la provincia................ province
la regione................... region
il torrente................... stream
la valle....................... valley

La gente — People

gli abitanti .... inhabitants
l'agricoltore (m) .... farmer
l'automobilista (m, f)... motorist
i bambini .... children
il, la bracciante .... farm worker
il, la ciclista .... cyclist
il cittadino .... city dweller, citizen
il, la commerciante ...... trader

il contadino .... farmer (small-holding)
la donna d'affari......... business woman
la donna .... woman
il, la negoziante.......... seller, shopkeeper
il pedone .... pedestrian
il poliziotto................. policeman
il postino .... postman
l'uomo (m).................. man
l'uomo d'affari........... businessman
il vigile urbano........... policeman (local)

In città — In town

Gli edifici — Buildings

l'abbazia (f)................ abbey
l'aeroporto (m)........... airport
l'agenzia di viaggi (f).. travel agency
l'albergo (m) .... hotel
l'associazione giovanile (f)....youth club
l'azienda di soggiorno (f) tourist office
la banca...................... bank
la biblioteca................ library
il castello.................... castle
la cattedrale................ cathedral
la chiesa .... church
il cinema .... cinema
la clinica.................... clinic, private hospital
il commissariato di polizia..police station
il commissariato di zona.....local police station
il condominio.............. block of flats
la fabbrica .... factory
il giardino pubblico ..... park
il mercato .... market
il municipio................ town hall
il museo .... museum
il negozio .... shop
l'ospedale (m) .... hospital
l'ostello della gioventú (m) ...youth hostel
il palazzo del ghiaccio . ice rink
il parco...................... park
la piscina................... swimming pool

47

la questura .... police headquarters
la scuola elementare .... primary school
la scuola media .... secondary school
lo stadio .... stadium
la stazione .... station
la stazione autolinee .... coach station
la stazione di servizio .. petrol station
il teatro .... theatre
la torre .... tower
l'ufficio (m) .... office
l'ufficio postale (m) ..... post office
l'ufficio turismo (m) .... tourist office

Punti di riferimento   Landmarks
l'angolo (m) .... corner
l'autostrada (f) .... motorway
la buca delle lettere ...... letter box
la cabina telefonica ...... phone box
il campeggio .... campsite
il centro commerciale .. shopping centre
il centro sportivo .... sports centre
la chiesa protestante ..... Protestant church
la circolazione .... traffic
la circonvallazione .... ring road; bypass
la città .... town
il centro città .... town centre
il corso .... wide street (with trees)
l'edicola (f) (dei giornali)
.... newspaper stand, kiosk
la fermata d'autobus .... bus stop
la fine della strada .... end of the road
il giardino pubblico ..... park
l'incrocio (stradale) (m)... crossroads
il luogo .... place
il marciapiede .... pavement
la metropolitana .... underground
il monumento .... monument
la moschea .... mosque
il paese .... village
il paesino .... hamlet
il palazzo .... palace
il parcheggio .... car park
il parco .... park

il passaggio a livello .....level crossing
il passaggio pedonale ...pedestrian crossing
il passaggio sotterraneo. ..subway
la periferia ....suburb
la piazza ....square
il ponte ....bridge
il porto ....port
il quartiere ....district, area
il quartiere di periferia......suburb
il quartiere residenziale ....residential area
la rotatoria ....roundabout
il segnale stradale ....road sign
il semaforo ....(traffic) lights
la sinagoga ....synagogue
la strada......................avenue
la terrazza (del caffé)....terrace (on pavement)
la via ....avenue, street
il viale ....wide street (with trees)
il vicolo cieco..............cul-de-sac
la zona pedonale..........pedestrian precinct

Al giardino pubblico   In the park
l'aiuola (f) ....flower bed
l'albero (m) ....tree
l'altalena (f) ....swing
l'erba (f)......................grass
il fiore ....flower
la fontana ....fountain
la panchina..................bench
la statua......................statute

In campagna   In the country
l'albero (m) ....tree
il bosco ....wood
la campagna ....countryside
il campo ....field
la casetta di campagna ..holiday cottage
la collina ....hill
l'erba (f)......................grass
la fattoria....................farm
il fiore ....flower
il fiume ....river

la foresta...................... forest
il frutteto .... orchard
la natura...................... nature
la riva .... edge, river bank
la seconda casa .... second/holiday home
il sentiero.................... footpath
la siepe .... hedge
il trattore.................... tractor
il villaggio .... village

Alla fattoria   **On the farm**
l'agricoltore (m) .... farmer
l'aia (f) .... farmyard
l'azienda agricola (f).... farm (large)
il casale .... farmhouse
la fattoria.................... farm
il fienile..................... barn
il fieno........................ hay
il mulino a vento.......... windmill
il nido......................... nest
la paglia...................... straw
il podere .... farm (small)
i prodotti della fattoria .... farm produce
il rimorchio................. trailer
lo spaventapasseri .... scarecrow
lo stagno..................... pond
la stalla .... stable
la vendemmia .... grape harvest
la vigna....................... vineyard
il vinicultore............... wine grower
la vinicultrice.............. wine grower

For animals see page 84

Com'è?   **What is it like?**
animato....................... lively
bello *irreg*................... pretty, beautiful
brutto.......................... ugly
buono .... good
calmo.......................... quiet
d'epoca....................... period
ex-.............................. ex-
grande .... big
grazioso...................... charming

importante.................. important
industriale .... industrial
inquinato.................... polluted
interessante .... interesting
largo........................... wide
moderno...................... modern
molti .... several
molto.......................... a lot of, many
naturale .... natural
noioso .... boring
pericoloso................... dangerous
piacevole.................... pleasant
piccolo .... small
pittoresco .... picturesque
pulito.......................... clean
sporco .... dirty
storico .... historic
tranquillo................... peaceful, quiet
triste........................... sad
urbano........................ urban, of the city
vecchio....................... old, former

Dov'è?   **Where is it?**
a................................. at
a destra (di) .... on the right (of)
a dieci chilometri da.... 10 km from
a sinistra (di) .... on the left (of)
accanto (a).................. next to
attorno (a) .... around
contro......................... against
da............................... at, from
davanti .... in front of
di fronte (a) .... opposite
dietro (a) .... behind
fra .... between
in mezzo a.................. in the middle of
là................................ there
laggiù......................... over there
lontano da .... a long way from
lungo.......................... along
qui vicino .... near here
sempre dritto.............. straight on

situato a	situated (at)	esplorare	to explore
sotto	under	girare	to turn
su	on	passare* davanti	to go past
tra	between, among	prendere *irreg*	to take
vicinissimo (a)	very near	Scusi/Scusa/Scusate!	Excuse me!
vicino (a)	near	trovarsi*	to be situated

For countries see page 91

vedere *irreg* ....to see

visitare ....to visit

Verbi utili   **Useful verbs**

andare* fino a *irreg* ..... to go as far as   For weather see page 51

attraversare.................. to cross   For shops see page 54

continuare.................... to carry on   For holiday words see page 80

Frasi

Abito a Malvern da dieci anni *I have lived in Malvern for ten years*

Malvern è una piccola città vicino a Worcester *Malvern is a little town near Worcester*

Che cosa c'è da vedere a Malvern? *What is there to see in Malvern?*

Ci sono le colline, il piccolo museo, un parco e una grande chiesa *There are the hills, the little museum, a park and a big church*

Si può andare a teatro, al cinema o alla piscina *You can go to the theatre, the cinema or the swimming pool*

Ogni domenica andiamo a passeggiare in collina *Every Sunday we go for walks on the hills*

LA METEOROLOGIA

Generale	**General**
il bollettino del mare....	shipping forecast
la foto dal satellite	satellite picture
le previsioni del tempo	weather forecast

il cielo	sky
il grado	degree
la nebbia	fog
la neve	snow
la nuvola	cloud
la pioggia	rain
il rovescio	shower, downpour
il sole..........................	sun, sunshine
la temperatura	temperature
il temporale	storm
il tuono	thunder
il vento	wind

l'afa (m)	sultriness
l'alba (f)	sunrise
l'arcobaleno (m)	rainbow
il caldo (estivo)............	(summer) heat
il calore	heat
il clima	climate
la foschia	mist
il fulmine.....................	thunderbolt
il ghiaccio...................	ice
la grandine..................	hail
il lampo	flash of lightning
la luna.........................	moon
il mare	sea
la marea......................	tide
il miglioramento	improvement
l'ombra (f)	shadow, shade
la precipitazione	precipitation
la pressione.................	pressure
la previsione	forecast
la schiarita	bright period
la siccità	drought
la stella	star

il tramonto..................	sunset
l'umidità (f)................	dampness, humidity
la visibilità	visibility

Le stagioni	**Seasons**
l'autunno (m)	autumn
l'estate (f)....................	summer
l'inverno (m)	winter
la primavera	spring

l'annata (f)	year
l'anno (m)	year
il mattino....................	morning
il mese........................	month
la notte	night
il pomeriggio..............	afternoon
la sera.........................	evening
la serata......................	evening
la stagione	season

Che tempo fa oggi?
What is the weather like today?

Fa bello	It is fine
Fa brutto tempo	The weather is bad
Fa buio	It is dark
Fa caldo......................	It is hot
Fa freddo....................	It is cold
Fa giorno....................	It is light
Fa notte	It is dark
C'è nebbia...................	It is foggy
C'è nevischio	It is sleeting
C'è il sole...................	It is sunny
C'è il temporale...........	It is stormy
Tira vento...................	It is windy
È nuvoloso	It is cloudy
Ci sono fulmini	It is lightning
Ci sono nuvole	It is cloudy
Ci sono trenta gradi	It is 30 degrees
Gela	It is freezing
Grandina	It is hailing

51

Nevica	It is snowing		
Piove	It is raining		
Tuona	It is thundering		

E domani ...?   Tomorrow ...?

Secondo le previsioni...
According to the weather forecast

Farà bello	It will be fine
Farà caldo	It will be hot
Farà freddo	It will be cold
Ci saranno trenta gradi	It will reach 30°C
Ci saranno delle schiarite	There will be bright spells
Ci sarà nebbia	It will be foggy
Ci sarà (il) sole	It will be sunny
Ci sarà un temporale	It will be stormy
Ci sarà vento	It will be windy
Sarà nuvoloso	It will be cloudy

Ieri ...   Yesterday ...

Faceva bello	It was fine
Faceva caldo	It was hot
Faceva freddo	It was cold
Faceva brutto tempo	The weather was bad
C'erano trenta gradi	It was 30 degrees
C'era nebbia	It was foggy
C'era il sole	It was sunny
Tirava vento	It was windy
Era nuvoloso	It was cloudy
Gelava	It was freezing
Nevicava	It was snowing
Pioveva	It was raining

... o quando?   ... or when?

domani	tomorrow
dopodomani	the day after tomorrow
generalmente	usually
recentemente	shortly, recently
sempre	always
sovente	often
spesso	often
di tanto in tanto	from time to time
qualche volta	sometimes

Aggettivi   Some adjectives

afoso	heavy, sultry
bello *irreg*	fine
blu	blue
brumoso	misty
brutto	bad
caldo	hot
coperto	cloudy
forte	strong
fosco	gloomy, dull
freddo	cold
leggero	light
meglio *adv*	better
migliore *adj*	better
mite	mild, moderate
nevoso	snowy
nuvoloso	cloudy
piacevole	pleasant
piovoso	rainy
prossimo	next
raro	rare
secco	dry
sereno	clear
soleggiato	sunny
temporalesco	stormy
terribile	awful
umido	wet
variabile	variable

Verbi utili   Useful verbs

brillare	to shine
cambiare*	to change
diventare* mite	to become mild
fare bello *irreg*	to be fine
fare previsioni *irreg*	to forecast
gelare*	to freeze
nevicare*	to snow
piovere* *irreg*	to rain
raffreddarsi*	to get colder
sciogliersi**irreg*	to melt
soffiare	to blow
tuonare	to thunder

PER ANDARE A ...?

Per andare a ..? How do I get to ...?

Scusi, signore .... Excuse me (to a man)
Scusi, signora .... Excuse me
                                    (to a woman)
Dov'è ...? .... Where is ...?
Mille grazie .... Thank you very much
Attraversi/Attraversa/Attraversate la strada
.... Cross the road
Vada/Vai/Andate sempre dritto
.... Go straight on
Giri/Gira/Girate a destra .... Turn right
Giri/Gira/Girate a sinistra .. Turn left
Segua/Segui/Seguite la via
.... Go down the street
Prenda/Prendi/Prendete la Statale 12
.... Take the SS12
Risala/Risalgi/Risalite la via
.... Go up the street
Prenda/Prendi/Prendete la prima a destra
.... Take the first on the right

Dov'è? Where is it?

accanto all'ufficio postale
.... next to the post office
all'angolo della strada.. on the corner of the street
davanti al cinema .... outside the cinema
di fronte alla banca ...... opposite the bank
dietro il teatro .... behind the theatre
dopo l'incrocio .... after the crossroads
fra il ponte e il semaforo
.................between the bridge and the lights
lontano dalla stazione
.... a long way from the station
prima di arrivare al chiosco
.... before you get to the kiosk
vicino .... close by
vicino alla piazza .... near the square
qui vicino .... near here

For landmarks see page 48

Segnali Signs

accesso vietato .... no entry
deviazione .... diversion
lavori in corso .... roadworks
parcheggio vietato .... no parking
pedaggio .... toll
riservato ai pedoni .... pedestrians only
senso unico .... one way
tenere la destra .... keep to the right
vietato ai ciclisti .... no cyclists
vietato camminare sull'erba. keep off the grass
vietato l'accesso .... no entry

La carta stradale The map

l'autostrada (f) .... motorway
il percorso alternativo.. holiday route (HR)
la strada panoramica.... scenic route
la strada secondaria ..... secondary road
la strada statale (SS) .... main road

Verbi utili Useful verbs

andare* *irreg* .... to go
andare* fino a ... *irreg*..... to go as far as ...
attraversare .... to cross
camminare .... to walk
conoscere *irreg* .... to know (place, people)
continuare .... to continue
essere* a piedi *irreg* .... to be on foot
girare .... to turn
guidare .... to drive
prendere *irreg* .... to take (a route)
salire* *irreg* .... to go up
sapere *irreg* .... to know (fact, how to)
scendere* *irreg* .... to go down
vedere *irreg* .... to see
visitare .... to visit

For town words see page 47
For shops see page 54
For address words see page 10
For car and public transport words see page 66

Frasi

Per andare alla stazione per favore? *What is the way to the station, please?*
Dov'è la stazione autolinee? *Where is the coach station?*
È lontano da qui? *Is it far?*
Quanto dista? *How far is it?*
È a dieci minuti a piedi *It's a ten minute walk*
È a cinque chilometri da qui *It's five kilometres from here*
Possiamo andarci in autobus? *Can we get there by bus?*
Devo prendere un taxi? *Do I have to take a taxi?*
Puoi vedere la chiesa? *Can you see the church?*

FARE LA SPESA, FARE ACQUISTI

Generale   General

la bottega................... shop (small)
il centro città .... town centre
il centro commerciale .. shopping centre
il negozio................... shop
la periferia.................. outskirts

Le persone   People

il venditore ambulante .....market trader
la cassiera................... cashier
il cassiere................... cashier
il, la cliente................. customer
il commesso................ sales assistant
il gestore................... manager
il passante.................. passer-by

I negozi   The shops

l'edicola dei giornali (f)... news stand, kiosk
il grande magazzino......... department store
l'ipermercato (m) .... hypermarket
il mercato .... market
il supermercato .... supermarket

la banca...................... bank
la cassa di risparmio.... savings bank
l'ufficio postale (m) .... post office

l'agenzia di viaggi (f).. travel agency
la bottega................... small shop
la bottiglieria.............. wine shop
la calzoleria................ shoe repair shop
la cartoleria .... stationer's shop
la drogheria .... grocer's shop
la farmacia .... chemist's shop
il ferramenta............... hardware shop
il fruttivendolo .... fruit seller
la gioielleria .... jeweller's
la latteria .... dairy produce shop
la lavanderia a secco.... dry-cleaner's
la libreria................... bookshop
la macelleria............... butcher's shop
il negozio di abbigliamento .... clothes shop
il negozio di frutta e verdura .. greengrocer's
il negozio di ottica e fotografia
.... photographer's

l'ottico (m) .... optician
la panetteria .... baker's shop
la pasticceria .... cake shop
la pescheria .... fish shop
la rosticceria .... take-away
il salone di parrucchiere ... hairdresser's salon
la salumeria .... delicatessen
il self-service .... self service
la tabaccheria............... tobacconist's shop
la tintoria .... dry cleaner's

Nel negozio   In the shop

l'articolo (m) .... article
l'ascensore (m) .... lift
il banco........................ counter
la cabina di prova .... changing room
il carrello .... trolley
il, la commerciante ...... shopkeeper
l'entrata principale (f).. main entrance
l'esposizione (f) della merce.... display
l'etichetta (f)............... label
la marca...................... make, brand
la merce...................... goods
il paniere .... basket
il piano .... floor
il pianterreno .... ground floor
il prezzo...................... price
il prodotto................... product
le provviste................. groceries
la qualità..................... quality
la ricevuta (fiscale) ...... receipt (for services)
lo scaffale .... shelf
la scala mobile............. escalator
lo scontrino................. receipt (for goods)
la sezione.................... department
il sottosuolo .... basement
l'ultimo piano (m) .... top floor
la vetrina .... shop window

Avvisi   Signs, Notices

aperto tutti i giorni....... open 7 days a week
chiuso........................ closed

chiuso per ferie............ annual holiday
entrata .... entrance
entrata libera .... browsers welcome
liquidazioni .... sale
d'occasione .... second-hand
orario di apertura......... opening hours
pagare alla cassa.......... pay at the cash desk
si prega di non toccare (la merce)
......................please do not touch (the goods)
prezzi stracciati .... fantastic prices
(in) promozione........... on special offer
riduzioni..................... reductions
self service .... self-service
spingere...................... push
tirare.......................... pull
uscita di soccorso .... (emergency) exit
in vendita .... for sale
in vendita qui .... on sale here

basta così.................... that's all
va bene....................... that's fine
molto.......................... a lot of
quanto, quanti, quanta, quante?
.... how much/many?
a partire da .... from
per persona................. per person
un po' (di) .... some
quale?......................... which?
troppo, troppa............. too much
troppi, troppe.............. too many
vorrei .... I would like

Fare la spesa   Buying food
Bibite   Drinks
l'acqua minerale (f) ..... mineral water
naturale .... still
frizzante .... fizzy
l'alcol (m) .... alcohol
la coca cola®.............. coca cola®
il latte completo.......... full milk
il latte (parzialmente) scremato
.... (semi-) skimmed milk
la limonata .... lemonade

l'orangina® (m) .... orangina®

il succo di frutta.......... fruit juice

il tè............................ tea

il vino........................ wine

In panetteria   At the baker's

il cornetto .... croissant

i grissini .... breadsticks

la pagnotta.................. bread roll

il pane (a cassetta) .... (sliced) bread

i pasticcini .... pastries, cakes

la torta........................ cake, tart

In drogheria   At the grocer's

l'aceto (m).................. vinegar

il biscotto.................... biscuit

il burro .... butter

il caffè........................ coffee

la caramella .... toffee

le chips .... crisps

la cioccolata................ chocolate

i corn-flakes .... cornflakes

la farina .... flour

il formaggio................ cheese

il gelato .... ice cream

la margarina .... margarine

la marmellata.............. jam

la marmellata d'arance. marmalade

il miele .... honey

la minestra.................. soup

la mostarda................. mustard

l'olio (d'oliva) (m) ...... (olive) oil

il panino .... sandwich

la panna...................... cream

la pasta .... pasta

le patatine fritte .... chips

il pepe .... pepper

la pizza....................... pizza

il riso.......................... rice

il sale.......................... salt

gli spaghetti................ noodles

le spezie...................... spices

l'uovo (m) .... egg

le uova (f pl) .... eggs

lo yogurt..................... yoghurt

lo zucchero................. sugar

La carne   Meat

l'agnello (m) .... lamb

l'anatra (f).................. duck

l'arrosto (m)............... joint, roast meat

la bistecca................... steak

la carne di struzzo .... ostrich meat

la carne tritata............. mince

il coniglio................... rabbit

la coscia d'agnello....... leg of lamb

la cotoletta.................. chop, cutlet

l'hamburger (m) .... hamburger

il maiale .... pork

il manzo .... beef

il montone.................. mutton

il pollame .... poultry

il pollo........................ chicken

il prosciutto crudo .... raw ham

il salame..................... salami

la salsiccia.................. sausage

la selvaggina .... venison

il tacchino .... turkey

il vitello...................... veal

Legumi   Vegetables

la carota .... carrot

il cavolfiore................ cauliflower

il cavolino di Bruxelles.....Brussels sprout

il cavolo .... cabbage

il cetriolino................. gherkin

il cetriolo.................... cucumber

la cipolla .... onion

il fagiolino.................. green/French bean

il fagiolo..................... bean

la fava .... broad bean

il fungo .... mushroom

l'insalata verde (f) .... lettuce, green salad

la lattuga .... lettuce

la melanzana .... aubergine, egg-plant

la patata...................... potato

i piselli	peas	la susina	plum
il pomodoro	tomato	l'uva (f)	grape
il riso	rice	l'uva spina (f)	gooseberry
lo zucchino	courgette, marrow		

Pesci — **Fish**

l'aglio (m)	garlic
la bietola	beetroot
i broccoli	broccoli
il carciofo	artichoke
il maïs	sweetcorn
il peperone giallo/rosso/verde	yellow/red/green pepper
il porro	leek
il ravanello	radish
gli spinaci	spinach

l'aragosta (f)	lobster
l'aringa (f)	herring
i bastoncini di pesce	fish fingers
il branzino	see bass
i frutti di mare	shellfish
il gamberetto	shrimp
il granchio di mare	crab
il merluzzo	cod
il nasello	haddock
le ostriche	oysters
i peoci	mussels
il pesce spada	swordfish
il pesce razza	skate, ray
il salmone (affumicato)	(smoked) salmon
la sardina	sardine
il tonno	tuna
la trota	trout

Frutta e noci — **Fruit and nuts**

l'albicocca (f)	apricot
l'ananas (m)	pineapple
l'anguria (f)	watermelon
l'arancia (f)	orange
l'avocado (m)	avocado
la banana	banana
il cedro	lime
la ciliegia	cherry
la fragola	strawberry
il kiwi	kiwi
il lampone	raspberry
il limone	lemon
la mandorla	almond
il mandarino	tangerine
la mela	apple
il melone	melon
il ribes	redcurrant
la mora	blackberry
la nocciola	hazelnut
la noce	walnut
la pera	pear
la pesca	peach
la pesca noce	nectarine
il pompelmo	grapefruit
la prugna	prune
il ribes nero	blackcurrant

Com'è? — **What is it like?**

abbastanza cotto	medium (meat)
al sangue	rare (meat)
alla griglia	grilled
amaro	bitter
arrosto	roast(ed)
avariato	bad (gone off)
ben cotto	well cooked
biologico	organic
bollito	boiled
buono	good
caldo	hot
casalingo	home-made
cattivo	bad
crudo	raw
dolce	sweet
eccellente	excellent
farcito	stuffed
freddo	cold
fresco	fresh, not frozen

fritto	fried
gratinato	baked in the oven, with cheese
mezzo-	half-
naturale	organic
pulito	clean
regionale	local
salato	savoury, salty
squisito	delicious
tostato	toasted

Ricette   Recipes

Come si prepara?   How do you make that?

l'aglio (m)	garlic
il basilico	basil
la cannella	cinnamon
l'erba (f) cipollina	chives
il coriandolo	coriander
il dragoncello	tarragon
la maggiorana	marjoram
la noce moscata	nutmeg
l'origano (m)	origano
il pepe	pepper
il prezzemolo	parsley
il rosmarino	rosemary
il sale	salt
la salvia	sage
le spezie	spices
il timo	thyme
lo zafferano	saffron
lo zenzero	ginger

bollito	boiled
crudo	raw, uncooked
a fondo	thoroughly
in forno a temperatura moderata	in a moderate oven
a fuoco dolce	on a low heat
grattugiato	grated
(ben) imburrato	(well) buttered
infarinato	dipped in flour, floured
speziato	spicy
stufato	stewed

tritato	minced

Verbi utili   Useful Verbs

battere	to beat
condire	to season
coprire *irreg*	to cover
cucinare	to cook
fare bollire *irreg*	to bring to the boil
fare dorare *irreg*	to brown, fry gently
insaporire (isc)	to flavour
mescolare	to mix
pelare	to peel
prendi/prendete	take
preparare	to prepare
riempire	to fill
scolare	to drain
stendere *irreg*	to roll out (pastry)
tagliare	to cut
tagliare a pezzi	to cut up
versare	to pour

Pesi e misure   Weights and measures

un cucchiaino da caffè	a teaspoonful
un cucchiaio da minestra	a tablespoonful
un pizzico di	a pinch of
cento grammi di...	100 grams of
mezzo litro di	half a litre of
la dozzina	dozen
il grammo	gram
il chilo	kilo
il litro	litre
la libbra	pound (lb)
la metà	half
il quarto	quarter
il terzo	third
la bottiglia	bottle
il cestino	punnet
ciascuno	per item
la fetta	slice
la lattina	can
il pacco	packet

il paio .... pair
la scatola...................... box, tin
il tubo .... tube
il vasetto .... jar, pot

Alla cassa   Paying

il biglietto (da diecimila)
.... (10.000 lira) note
la carta di credito .... credit card
la carta Visa® .... Visa® card
la Cartasí® .... major Italian credit card
la cassa .... cash desk
il codice....................... barcode
il denaro .... money
il libretto d'assegni ...... cheque book
la lira........................... lira
la lira sterlina............... £, pound sterling
la mancetta .... pocket money
la moneta..................... change; currency; coin
il portafoglio................ wallet
il portamonete.............. purse
il prezzo....................... price
il resto .... change
i soldi .... money
gli spiccioli.................. small change

Comprare articoli di abbigliamento
Buying clothes

il calzino...................... sock
la camicetta .... blouse
la camicia .... shirt
il cappello.................... hat
il cappotto................... coat
il collant .... pair of tights
la cravatta .... tie
la giacca .... jacket
la gonna...................... skirt
i jeans .... pair of jeans
la maglia...................... pullover
la maglietta................. T-shirt
le mutande (da uomo) ......underpants
le mutandine (da donna) ..panties

i pantaloni .... pair of trousers
il pigiama .... pair of pyjamas
il reggiseno................. bra
gli scaldamuscoli......... leggings
la scarpa .... shoe
le scarpe da ginnastica . trainers
gli short...................... pair of shorts
la sottoveste................ slip
la tuta da ginnastica ..... tracksuit
il vestito .... dress

l'abito (da uomo)......... (gents) suit
il bikini....................... bikini
la camicia da notte....... nightdress
la cintura .... belt
il completo .... (gents) suit
il costume da bagno..... swimsuit, swimming
                                 trunks
il foulard di seta ... . (silk) scarf
la giacca a vento.......... anorak
il gilet......................... waistcoat
il guanto .... glove
l'impermeabile (m)...... raincoat
la muffola................... mitten
il panciotto .... waistcoat
la pantofola .... slipper
la salopette .... dungarees
il sandalo.................... sandal
la sciarpa di lana.......... (woollen) scarf
il soprabito .... overcoat
lo stivale..................... boot
il tailleur.................... (ladies) suit
la vestaglia .... dressing gown
l'anello (m) .... ring
la borsa....................... bag
la borsa canguro .... bumbag
il bottone .... button
la cerniera.................. zip fastener
la collana.................... necklace
il colletto .... collar
il fazzoletto (di carta) .. (paper) handkerchief
il fermacapelli .... scrunchie

la manica	sleeve	lungo	long
la misura	size (shoes)	nuovo	new
la moda	fashion	d'occasione	second hand
l'ombrello (m)	umbrella	qualcosa di carino	something pretty
gli orecchini	earrings	qualcosa di meno caro	something cheaper
l'orologio (m)	watch	a righe	striped
la taglia	size (clothes)	scuro	dark (colour)
la tasca	pocket	simile	similar

Tessuti e materiali **Fabrics and materials**

stretto .... tight, narrow
uguale .... the same

For colours see page 29
For numbers see page 93

l'argento (m)	silver	
il cotone	cotton	
il cuoio	leather	
le fibre artificiali	man-made fibres	
la lana	wool	
il metallo	metal	
il nylon	nylon	
l'oro (m)	gold	
la pelle	leather	
la plastica	plastic	
la seta	silk	
il velluto	velvet	

Che taglia è?   **What size is it?**
Per donna   **For women**

il vestito	dress
il tailleur	suit
la maglia	pullover
taglia 36	size 8
taglia 38	size 10
taglia 40	size 12
taglia 42	size 14
taglia 44	size 16
piccola (1)	small
media (2)	medium
grande (3)	large

Il trucco   **Make-up**

il fondo tinta	foundation
l'ombretto (m)	eye shadow
il profumo	perfume
il Rimmel®	mascara
il rossetto	lipstick
lo smalto per unghie	nail varnish
lo struccante	make-up remover

Per uomo   **For men**

il completo	suit
la giacca	jacket
taglia 46	size 36
taglia 48	size 38
taglia 50	size 39-40
taglia 52	size 42
taglia 54	size 44

Com'è?   **What's it like?**

a buon mercato	cheap
caro	expensive, dear
chiaro	light (colour)
conveniente	good value (of prices)
corto	short
differente	different
fresco	cool, fresh
gratuito	free
intero	whole, complete
leggero	light (weight)

la camicia	shirt
taglia 36	size 14
taglia 37	size 14½
taglia 38	size 15
taglia 39/40	size 15½
taglia 41	size 16

Che misura di scarpe ha?
What size shoes do you take?
la (misura) 37 .... size 4
la (misura) 37.5 .... size 4½
la (misura) 38 .... size 5
la (misura) 39 .... size 5½
la (misura) 39½. .... size 6
la (misura) 40 .... size 6½
la (misura) 40½ .... size 7
la (misura) 42 .... size 8
la (misura) 43 .... size 9
la (misura) 44½ .... size 10
la (misura) 45½ .... size 11
la (misura) 47 .... size 12
All European sizings given are approximate

Per chi è?   **Who is it for?**
è per me .... it's for me
è per un regalo .... it's for a present

Problemi   **Problems**
l'allagamento (m) .... flood
il buco .... hole
la fuga di gas .... gas leak
la garanzia .... guarantee
le istruzioni per il lavaggio
.... washing instructions
la perdita .... leak (liquids)
la pila .... battery (torch, etc)
il reclamo .... complaint
la ricevuta .... receipt

Aggettivi   **Adjectives**
troppo caro .... too expensive
troppo corto .... too short
troppo grande .... too big
troppo largo .... too wide
troppo stretto .... too tight, too narrow

bloccato .... jammed, stuck
bucato .... punctured
deluso .... disappointed
non funzionante .... broken down, not
                                   working

gentile .... kind
impossibile .... impossible
possibile .... possible
pratico .... practical
pronto .... ready
pulito .... clean
ristretto .... shrunk
rotto .... broken
solido .... strong, solid
molto spiacente .... very sorry
sporco .... dirty
strappato .... torn

Cosa non funziona?
What is broken/not working?
la lavastoviglie .... dishwasher
la lavatrice .... washing machine
il lettore CD .... CD player
la macchina fotografica ... camera
l'ordinatore (m) .... computer
l'orologio (m) .... watch
la lampadina tascabile.. torch

A chi dobbiamo telefonare?
Who shall I ring?
l'elettricista (m, f) .... electrician
il, la garagista .... garage owner
il gestore .... manager
l'idraulico (m) .... plumber
il meccanico .... mechanic
il proprietario .... owner

Verbi utili   **Useful verbs**
aggiungere *irreg* .... to add
comprare .... to buy
controllare .... to check
costare* .... to cost
detestare .... to hate
essere* sufficiente *irreg* ...... to be enough
fare un pacco regalo *irreg* ... to gift wrap
funzionare .... to work, function
imballare .... to wrap up (to send)

61

lasciar cadere	to drop	dovere *irreg*	to owe
portare	to bring	farsi* *irreg* rimborsare.	to get one's money back
prendere *irreg*	to take	fare pulire *irreg*	to have cleaned
preparare	to prepare	fare riparare *irreg*	to have mended
promettere *irreg*	to promise	fare un reclamo *irreg*	to complain
raccommodare	to mend	fidarsi (di)*	to trust
riparare	to repair	fissare	to fix
riprendere *irreg*	to take back	garantire (isc)	to guarantee
ritornare*	to come back	lavare a secco	to dry-clean
rompere *irreg*	to break	misurare	to measure
scegliere *irreg*	to choose	pesare	to weigh
verificare §	to check	piacere *irreg*	to please
volere *irreg*	to wish, want	preferire (isc)	to prefer
		prendere in prestito *irreg*	to borrow
accettare	to accept	proporre *irreg*	to suggest
affidare	to entrust	provare	to prove
calcolare	to add up	regalare	to offer, give (present)
conservare la ricevuta	to keep the receipt	restringersi* *irreg*	to shrink
contare	to count	strappare	to tear, rip
criticare §	to criticise	truccarsi*	to put on make-up
dividere *irreg*	to divide		

Frasi

Il/La cliente dice:

Scusi, c'è una farmacia qui vicino? *Excuse me, is there a chemist nearby?*

Vende ...? *Do you sell ...?*

Ha **dello** zucchero, **della** farina, **dell'**olio d'oliva, **delle** uova, **dei** fiammiferi, **degli** zucchini?
   Have you any sugar, flour, olive oil, eggs, matches, courgettes?

Preferirei ... *I would prefer ...*

Prendo questo *I'll take this*

Quanto costa? *How much is it?*

Quanto Le devo? *How much do I owe you?*

Pago alla cassa? *Do I have to pay at the cash desk?*

Non ho moneta *I have no change*

Ho solo un biglietto da 50.000 (lire) *I've only got a 50,000 lira note*

Vorrei provare questa maglia, per favore *May I try on this jumper, please?*

È troppo grande/troppo stretto/troppo piccolo *It's too big/too tight/too small*

Posso pagare con la carta di credito? *May I pay by credit card?*

Le dispiace farmi un pacco regalo? *Can you gift-wrap it for me, please?*

È tutto, grazie *That's all, thank you*

Il commesso/La commessa dice:

A chi tocca? *Who is next?*

Desidera? *May I help you?*

Nient'altro? *Anything else?*

Ha (della) moneta? *Have you any change?*

Che taglia ha? *What size are you? (clothes)*

Che misura di scarpe ha? *What size shoes do you take?*

Problemi:

C'è un errore *There is a mistake*

Vorrei cambiare questa gonna *I would like to change this skirt*

Ho tenuto la ricevuta *I have kept the receipt*

Il colore non mi sta bene *The colour does not suit me*

Scusi, questi calzini non sono della stessa misura *Excuse me, these socks are different sizes*

Ho seguito le istruzioni di lavaggio, ma questa maglia si è ristretta *I followed the washing instructions, but this jumper has shrunk*

Questo orologio non funziona più *This watch doesn't go any more*

1 SERVIZI PUBBLICI

All'ufficio postale At the post office

la buca delle lettere...... letter box
la cartolina.................. postcard
il fermo posta .... poste restante
il francobollo.............. stamp
il giorno...................... day
l'indirizzo (m) .... address
la lettera .... letter
la levata...................... postal collection
il modulo..................... form
la moneta da cinquecento lire .. 500 lira coin
il pacco....................... parcel
la posta....................... post, mail
il postino .... postman
la prossima levata........ the next collection
la settimana .... week
lo sportello .... counter position
la tabaccheria.............. tobacconists
la tariffa normale........ first class post
la tariffa ridotta........... second class post
la scheda telefonica da 50 unità
.... 50 unit phone card
l'ufficio postale (m)..... post office
l'ultima levata (f)......... the last collection
il vaglia postale .... postal order

all'estero (m).............. abroad
per via aerea .... by air mail
perduto .... lost
perso........................... lost
quanto, quanta? .... how much?
quanti, quante? .... how many?
quanto tempo?............ how long?
raccomandata.............. (by) registered post
urgente .... urgent

In banca   At the bank

l'assegno (travellers') (m)...(travellers') cheque
la banca .... bank
il Bancomat® .... cash dispenser

il biglietto da 100.000 lire ... 100.000 lira note
la carta bancaria .... bank card
la carta di credito........ credit card
la cassa....................... till
la percentuale .... percentage
la commissione........... commission
il denaro..................... money
il documento d'identità.....ID
l'Eurocheque (m) .... Eurocheque
il libretto d'assegni...... cheque book
la lira.......................... lira
la lira sterlina .... £ sterling
la moneta.................... change
il numero di conto .... account number
il passaporto .... passport
il tasso di cambio......... exchange rate
l'ufficio cambio (m).... exchange office
la valuta .... currency

Verbi utili   Useful verbs

accettare .... to accept
cambiare...................... to change
compilare il modulo .... to fill in the form
contare .... to count
distribuire (isc) la posta ....to deliver the post
entrare* in................... to go into
fare un errore *irreg* ...... to make a mistake
firmare .... to sign
imbucare .... to post
incassare un assegno.... to cash a cheque
incassare un vaglia postale
.... to cash a postal order
passare* alla cassa....... to go to the cash desk
prendere una commissione *irreg*
.... to charge commission
rispedire (isc) .... to send on
spedire (isc)................ to send, post
telefonare .... to phone
usare........................... to use
uscire* da *irreg* .... to go out of
valere *irreg*................. to be worth

Oggetti smarriti   Lost property

la bicicletta .... bicycle
la borsa .... handbag
la chiave .... key
il libretto degli assegni .....cheque book
la macchina fotografica....camera
l'ombrello (m) .... umbrella
il portafoglio .... wallet
il portamonete............. purse
la valigia..................... case
la videocamera............. video camera
lo zaino...................... rucksack

Dentro c'è, ci sono....... In it there is, there are

il colore .... colour
il danno .... damage
la data......................... date
la descrizione.............. description
il documento d'identità ....ID
la forma...................... shape
la marca...................... make
il modulo .... form
il passaporto .... passport
il regolamento............. settlement, rule
la ricompensa .... reward
una specie di............... a sort of

la taglia .... size

For materials see page 60

Verbi utili   Useful verbs

andare* *irreg* .... to go
cercare§..................... to look for
dimenticare § .... to forget
fare vedere *irreg* .... to show
lasciar cadere.............. to drop
lasciare .... to leave
mettere *irreg*............... to put
mostrare .... to show
offrire *irreg* .... to offer
perdere *irreg*.............. to lose
posare......................... to put down
riempire...................... to fill in
rubare......................... to steal
scendere* *irreg*........... to go down
segnalare .... to report
trovare....................... to find
viaggiare .... to travel

For telephone words see page 78
For money words see page 79
For other office words see page 74

Frasi

Vorrei spedire questo pacco nel Regno Unito *I would like to send this parcel to UK*

Quanto costa mandare una lettera in Gran Bretagna? *How much does it cost to send a letter to Britain?*

Cinque francobolli da 800 lire *Five stamps at 800 lire, please*

Ho smarrito la (mia) macchina fotografica *I've lost my camera*

L'ho lasciata nel treno *I left it in the train*

Mi hanno rubato il portamonete *I've had my purse stolen*

Devo andare in Commissariato? *Do I have to go to the police station?*

Non sono di queste parti *I am not from this area*

Sono in vacanza *I am on holiday*

I TRASPORTI

Generale General

l'accoglienza (f) .... welcome, reception
all'estero (m) .... abroad
le ferie .... annual holiday, leave
il giorno festivo .... public holiday
il tragitto .... journey
le vacanze .... holidays
il viaggio .... journey

I mezzi di trasporto
Means of transport

l'aereo (m) .... plane
l'aliscafo (m) .... hydrofoil, jetfoil
l'autobus (m) .... bus
l'automobile (f) .... car
la bici .... bike
la bicicletta .... bicycle
la bicicletta fuoristrada ....mountain bike
il camion .... lorry
l'elicottero (m) .... helicopter
il furgone .... van
l'hovercraft (m) .... hovercraft
il macinino *coll* .... banger (car)
la metropolitana .... underground, metro
la moto .... motorbike
la motocicletta .... moped
il motorino .... moped
il pullman .... coach
il tram .... tram
i trasporti pubblici .... public transport
il treno .... train

Le persone People

l'addetto (m) alla pompa della benzina
.... pump attendant
l'assistente di volo (m, f) .. air steward(ess)
l'autista (m, f) .... driver
l'automobilista (m, f) ... motorist
il, la camionista .... (long-distance) lorry driver
il, la ciclista .... cyclist

il, la conducente .... driver
il controllore .... ticket collector
il, la garagista .... garage owner, mechanic
il meccanico .... mechanic
il passeggero .... passenger
il pedone .... pedestrian
il, la pilota .... pilot
il poliziotto .... policeman
il portabagagli .... porter (station)
il, la turista .... tourist
il viaggiatore .... traveller
la viaggiatrice .... traveller

Viaggio in treno Train travel

un' andata (f) .... a single ticket
un' andata (f) e ritorno .....a return ticket
l'arrivo (m) .... arrival
i bagagli .... luggage
la biglietteria .... ticket office
il biglietto .... ticket
il binario .... platform
il cambiamento d'orario ...timetable change
la carrozza ristorante ... dining car, buffet
il centro accoglienza.... reception
le coincidenze............. connections
la consegna (automatica)
.... left luggage (lockers)
la cuccetta .... sleeper, couchette
la destinazione............ destination
la ferrovia................... railway
(non-)fumatori............ (non-)smokers
le informazioni .... information
l'Intercity (m)............. Inter-City
l'orario (m) .... timetable
il parcheggio dei taxi... taxi rank
la partenza.................. departure
la prenotazione........... reservation
la prima classe............ first class
il rapido...................... express
il ritardo .... delay

la rotaia .... track
la sala d'attesa .... waiting room
la seconda classe .... second class
la stazione FF.SS .... railway station
il treno .... train
il treno regionale......... stopping train
il vagone letto .... sleeping car
la vettura .... carriage

Prendiamo il bus o il tram
Bus or tram travel

l'altoparlante (m) .... loudspeaker
l'autostazione (m) .... coach station
la biglietteria automatica
.... ticket vending machine
il biglietto .... ticket
il biglietto settimanale . weekly ticket
la convalidatrice .... ticket validating
machine
la fermata del bus .... bus stop
la linea......................... line, route
il numero .... number
la tariffa...................... fare

in direzione di .... going to ...
in partenza per .... departing for ...
proveniente da ... . coming from ...

Attraversare la Manica
Crossing the Channel

il battello .... boat
il mal di mare .... seasickness
il mare........................ sea
la navetta .... shuttle
il porto........................ port
la stazione marittima.... ferry terminal
il traghetto .... car ferry
la traversata .... crossing
il tunnel sotto la Manica .. Channel Tunnel
calmo.......................... smooth
mosso .... rough
in orario...................... on time
in ritardo..................... late

Viaggiare in aereo Flying

l'aereo (m) .... plane
l'aeroporto (m) .... airport
l'aerostazione (f) .... air terminal
l'atterraggio (m) .... landing
la cabina..................... cabin
il cancello................... gate
la chiamata .... call
la cintura di sicurezza .....seat belt
la classe turistica .... tourist class
il decollo .... take-off
l'imbarco (m) .... boarding
il jumbo...................... jumbo jet
il pirata dell'aria .... hijacker
la puntualità................ punctuality
il ritardo .... delay
il terminale................. terminal
il volo......................... flight

Viaggiare in auto   Going by car

l'autostrada (f)............. motorway
il percorso alternativo .. holiday route
la rete autostradale....... motorway network
la strada panoramica.... scenic route
la strada secondaria ..... secondary road
la strada statale (SS) .... main road

l'area (f) di sosta .... picnic area
l'autorimessa (f) .... garage
l'autosnodabile (m) ..... HGV, lorry
la carta stradale........... road map
la curva .... bend
la deviazione .... diversion
il documento d'identità....ID
la fine......................... end
i gabinetti .... toilets
l'imbottigliamento....... traffic jam
l'incrocio (m) .... crossroads
l'ingorgo (m).............. hold-up
i lavori stradali .... roadworks
il marciapiede............. roadway
il numero.................... number

l'olio (lubrificante) (m) ... oil
l'ora di punta (f) .... rush hour
il parcheggio .... car park, parking
il pericolo .... danger
il semaforo .... traffic lights
la stazione di servizio .. petrol station
la targa .... number plate
la velocità .... speed

l'assicurazione (f) .... insurance
l'autoscuola (f) .... driving school
il casco .... helmet
il codice stradale .... highway code
la corsia centrale .... central reservation
il disco di parcheggio ... parking disc
il marciapiede .... pavement
la patente di guida .... driving licence
il pedaggio .... toll
la polizza d'assicurazione ...insurance policy
la precedenza .... right of way, priority
la rotatoria .... roundabout
la segnalazione su strada.....road markings
la segnaletica .... road signs
il traffico lento .... slow moving traffic

L'automobile non funziona
My car has broken down
l'abbagliante (m) .... headlight
l'autosoccorso (m) .... breakdown service
la batteria .... battery
la chiave della vettura .. car key
il freno .... brake
il fumo .... smoke
la gomma bucata .... puncture
il guasto .... breakdown
la marca .... make
la marmitta .... exhaust pipe
il motore .... engine
il parabrezza .... windscreen
il pneumatico .... tyre
la portiera .... car door
il rumore .... noise
il serbatoio .... petrol tank

l'acceleratore (m) .... accelerator
l'ala (f) .... wing
il catalizzatore .... catalytic converter
la cintura di sicurezza .. seat belt
il clacson .... horn
il cofano .... bonnet
il finestrino .... window
la frizione .... clutch
l'indicatore di direzione (m) ... indicator light
le luci posteriori .... rear lights
le marce .... gears
il cambio .... gearbox
i paraurti .... bumpers
il pezzo di ricambio ..... spare part
il portabagagli .... boot
il radiatore .... radiator
il retrovisore .... rear view mirror
la ruota (di ricambio) ... (spare) wheel
il sedile .... seat
la serratura .... lock
i tergicristalli .... windscreen wipers
il volante .... steering wheel

anteriore .... front
posteriore .... back

Verbi utili   **Useful verbs**
attendere *irreg* .... to wait for
frenare di colpo .... to stop dead
funzionare .... to work
guastarsi* .... to break down
riparare .... to repair, fix
scoppiare* .... to burst (tyre)
telefonare (a) .... to phone

Alla stazione-di servizio
At the petrol station
l'acqua (f) .... water
l'addetto alla pompa (m) ..pump attendant
l'antigelo (m) .... anti-freeze
l'aria (f) .... air
la benzina .... petrol
la benzina con piombo......leaded petrol

la benzina senza piombo .. unleaded petrol
la bibita .... drink
il bidone dell'olio .... can of oil (large)
il carburante .... fuel
la carta (automobilistica/stradale) .. (road) map
il diesel .... diesel
il litro .... litre
il livello .... level
il lubrificante .... oil
l'olio (m) .... oil
la pressione dei pneumatici ... tyre pressure
la super senza piombo .... super unleaded

Un incidente   An accident

Le persone   People
"agente" .... "officer"
l'agente di polizia (m, f) .. police officer
l'automobilista (m, f) .... car driver
il, la ciclista .... cyclist
il, la conducente di ambulanza
.... ambulance driver
il, la responsabile .... culprit
il dottore .... doctor
la dottoressa .... lady doctor
l'infermiera (f) .... nurse
il, la motociclista .... motorcyclist
il, la passante .... passer-by
il pedone .... pedestrian
il pompiere .... fireman
il, la testimone .... witness

Generale   General
l'alcotest (m) .... breath test
l'ambulanza (f) .... ambulance
la barella .... stretcher
il codice stradale .... highway code
la collisione .... collision
la colpa .... fault, responsibility
il commissariato .... police station
il consolato .... consulate
il danno .... damage
la dichiarazione .... statement
l'impatto (m) .... impact

l'incidente stradale (m) .... car accident
l'indirizzo (m) .... address
la pattuglia di polizia ... police patrol
il pericolo .... danger
il permesso .... permission
la polizia (stradale) ...... (highway) police
il posto di polizia .... police station
la precedenza .... priority
i primi soccorsi .... first aid
il problema .... problem
il pullman .... coach
il rischio .... risk
lo scontro a più auto .... pile-up
la scusa .... excuse
il senso .... direction
il veicolo .... vehicle

For weather see page 51

È grave?   Is it serious?
senza conoscenza .... unconscious
falso .... false, wrong
ferito .... injured
grave .... serious
lentamente .... slowly
morto .... dead
preoccupato .... anxious
sorprendente .... surprising
spiacente .... sorry
in stato di choc .... in shock
urgente .... urgent
velocemente .... quickly

Esclamazioni   Exclamations
Aiuto! .... Help!
Al fuoco! .... Fire!
Attenzione! .... Look out!
D'accordo! .... OK, Agreed!
Dio mio! .... My goodness!
Non importa! .... Never mind!
Presto! .... Quickly!
Purtroppo! .... Alas!
Scusi! .... Sorry!

Verbi utili — Useful verbs

acquistare .... to buy
andare* *irreg* .... to go
andare* a piedi *irreg*.... to walk, go on foot
andare* a prendere *irreg*.. to fetch
atterrare* .... to land (plane)
avanzare* .... to go forward
camminare.................. to walk
cercare§ .... to look for
circolare .... to keep moving (vehicle)
consultare .... to consult
convalidare................. to time stamp a ticket
decollare*................... to take off (plane)
durare* .... to last
fare il pieno *irreg*........ to fill up with petrol
gonfiare le gomme....... to pump up the tyres
guidare .... to drive
noleggiare................... to hire
parcheggiare............... to park
passare........................ to pass (time)
prendere l'aereo *irreg*.. to fly (person)
salire* sul ponte *irreg*.. to go up on deck
sorpassare................... to overtake
arrivare*...................... to arrive
attendere § .... to wait (for)
cambiare..................... to change
controllare .... to examine, check
partire* (da) *irreg*........ to leave (from)

perdere *irreg* .... to miss (train)
prendere il treno *irreg* . to catch the train
salire* (in) *irreg*......... to get on/into
scendere* (da) *irreg* .... to get off/out of
trovare posto .... to find a seat
viaggiare in treno .... to go by train
viaggiare seduto .... to have a seat all the way
viaggiare in piedi........ to have to stand all the way
accendere i fari............ to switch on the headlights
andare* in macchina *irreg* ... to drive, travel (in car)
attraversare................. to cross
avere un guasto *irreg*... to break down
cambiare marcia .... to change gear
fare retromarcia *irreg* .. to reverse
fermarsi*.................... to stop
frenare........................ to brake
informarsi* (su).......... to find out (about)
investire .... to knock over
mettere (il motore) in marcia *irreg* .... to start the engine
rallentare .... to slow down
rientrare*.................... to return home
schiantarsi* (contro).... to crash (into)
spegnere il motore *irreg* ...to switch off the engine
suonare il clacson .... to sound the horn
trovarsi*...................... to be situated
uscire* *irreg* .... to go out

Frasi

Il treno parte dal binario 8 *The train leaves from platform 8*
Il treno parte alle dodici e trenta, a mezzogiorno *The train leaves at 12.30, midday*
Devo cambiare treno? *Do I have to change?*
Vorrei un'andata e ritorno in seconda, per favore *I would like a second class return, please*
Dove si può parcheggiare? *Where can I park?*
Trenta litri senza piombo, per favore *30 litres of lead-free, please*
Ho un guasto alla macchina *My car has broken down*
Il motore non parte *The engine will not start*
Prenderò l'aereo da Londra a Napoli *I'm flying from London to Naples*

LA FORMAZIONE E IL LAVORO

Gli esami e dopo
Exams and afterwards

Generale   General
la concentrazione......... concentration
la domanda................. question
l'esame (m) .... examination
il lavoro...................... work
la memoria .... memory
la prova per esame....... mock exams
la prova orale.............. speaking test
la prova scritta............ written test
la risposta .... answer
la risposta corretta .... right answer
la risposta errata .... wrong answer
la sufficienza .... pass mark
il voto........................ mark

Le persone   People
l'apprendista (m, f)...... apprentice
il candidato................. candidate
l'esaminatore (m) .... examiner
l'esaminatrice (f) .... examiner
il professore................ teacher
la professoressa........... teacher
lo studente .... student
la studentessa.............. student
il, la tirocinante.......... trainee

Aggettivi   Adjectives
difficile...................... difficult
divertente................... amusing, "fun"
individuale................. individual
in gruppo .... as a group
noioso........................ boring
prossimo..................... next
ultimo........................ last

Verbi utili   Useful verbs
dare un esame *irreg* ..... to take an exam
essere* bocciato *irreg* .. to fail an exam
essere* promosso *irreg* ....to pass an exam

fare tirocinio *irreg* .... to do work experience
lavorare .... to work
prepararsi* per .... to prepare for
ripassare .... to revise
rispondere alla domanda *irreg*
.... to answer the question
studiare....................... to study

L'ultimo anno di liceo
Going into the Sixth Form
l'insegnamento (m) ..... teaching
l'istituto tecnico (m).... FE college
l'istituto tecnico-professionale (m)
.... FE college
la licenza media........... GCSE equivalent
il liceo .... Sixth Form/tertiary college
le lingue .... languages
il livello..................... level
la maturità .... A level equivalent
le scienze.................... sciences
gli studi letterari .... literary studies
gli studi scientifici .... scientific studies

Gli studi universitari
Higher education
l'accademia militare (f) ... army college
l'accademia navale (f) . navy college
il conservatorio........... music academy
il diploma universitario ... degree
la facoltà di lettere....... faculty of arts
la facoltà di medicina .. medical school
la facoltà di scienze ..... faculty of science
la laurea..................... degree
l'università (f) .... university

Il tirocinio   Training
l'apprendistato (m) ...... apprenticeship
la concorrenza .... competition
i corsi serali................ evening classes
il programma di formazione dei giovani
.... youth training scheme

71

la formazione professionale
.... vocational training
lo stage di formazione . training course

Verbi utili   Useful verbs
avere buone referenze *irreg*
.... to have good references
conseguire un diploma universitario
.... to graduate

fare studi universitari *irreg*
.... to read for a degree
fare uno stage di formazione *irreg*
.... to go on a training course
frequentare un corso di formazione
.... to attend a training course
!aurearsi* .... to graduate

CERCARE UN IMPIEGO

Generale   General

gli affari .... business
la carriera .... career
il commercio .... trade
la disoccupazione .... unemployment
il gruppo di lavoro .... team
l'impiego (m) .... job, post
il lavoro a tempo parziale ...part-time work
il lavoro a tempo pieno ....full-time work
il lavoro precario .... temporary work
la paga........................ pay
la patente di guida .... driving licence
la personalità .... personality, character
il posto (di lavoro) .... situation, job
la somma di denaro...... sum of money
lo stipendio................. salary
il volontariato .... voluntary work

Fare domanda d'impiego
Applying for a job

il cognome.................. surname
il colloquio .... interview
il curriculum vitæ .... CV, curriculum vitæ
la data di nascita .... date of birth
il diploma universitario.... degree
la lettera .... letter

il luogo di nascita .... place of birth
il mestiere .... profession
il nome (di battesimo) . first name
le qualifiche professionali
.... professional qualifications
le referenze................. references
la scrittura .... handwriting
la scomposizione in lettere .. spelling
lo stato di famiglia....... family status

Verbi utili   Useful verbs
accusare ricevuta di ..... to acknowledge
                          receipt of a letter
consigliare................... to advise
distribuire (isc) .... to give, hand out
fare lavoro volontario *irreg* ...to do voluntary work
fare uno stage *irreg* ..... to do work experience
lavorare .... to work
rispondere a un annuncio *irreg*
.... to answer an advert

Le persone   People

l'apprendista (m, f)...... apprentice
il capo *coll* .... boss
il capo d'impresa......... person in charge of
                          business
il, la collega................ colleague

il datore di lavoro .... employer
il direttore .... director, manager
il direttore commerciale ... sales manager
il direttore del personale
    .... personnel director
il direttore di marketing
    .... marketing director
la direzione .... management
il disoccupato .... unemployed person
la gestione .... management
l'impiegato (m) .... employee
l'imprenditore (m) .... businessman
l'imprenditrice (f) .... businesswoman
lo/la scioperante........... striker
il segretario.................. secretary
il, la sindicalista........... trade unionist
il, la tirocinante............ trainee

I mestieri   Jobs

Professioni   Professions
l'assistente sociale (m, f) . social worker
l'avvocato (m, f).......... lawyer
il, la contabile.............. accountant
il, la dentista .... dentist
il direttore.................... director
la direttrice .... director
il dottore...................... doctor
la dottoressa................ doctor
il funzionario .... civil servant
il, la giornalista............ journalist
l'infermiere (m)........... nurse
l'informatico (m)......... computer scientist
l'ingegnere (m)............ engineer
l'insegnante (m, f) .... primary teacher
il medico .... doctor
il, la musicista.............. musician
il pittore...................... painter
la pittrice .... painter
il politico.................... politician
il, la preside................ headteacher
il professore................ teacher, lecturer
la professoressa........... teacher, lecturer

il, la progettista............ designer
il programmatore......... programmer
la programmatrice .... programmer
lo scienziato .... scientist
il veterinario............... vet

Altre professioni   Other professions
l'animatore (m) .... organiser, presenter
                          (holiday villages)
l'animatrice (f) .... organiser, presenter
l'architetto (m, f)........ architect
il bibliotecario .... librarian
il biologo.................... biologist
il chirurgo .... surgeon
il, la consulente .... consultant
il decoratore di interni ..... interior designer
la decoratrice di interni.... interior designer
la donna d'affari .... business woman
il, la fisioterapista........ physiotherapist
l'interprete (m, f)......... interpreter
il meteorologo .... meteorologist
il ricercatore .... research worker
la ricercatrice.............. research worker
lo scrittore .... writer
la scrittrice .... writer
l'uomo d'affari (m) .... businessman

In città   In the high street
l'agente di viaggi (m, f).........travel agent
l'agente immobiliare (m, f)....estate agent
l'albergatore (m) .... hotelier
l'albergatrice (f) .... hotelier
il cassiere .... till operator, cashier
il, la commerciante...... shopkeeper
il commesso .... sales assistant
il, la farmacista........... chemist
il fioraio .... florist
il fornaio .... baker
il fotografo .... photographer
il fruttivendolo .... fruitseller, greengrocer
il, la garagista............. garage owner
il gestore d'albergo...... hotel manager
il giornalaio................ newsagent

il macellaio................. butcher
il panettiere................ baker
il parrucchiere .... hairdresser
il pescivendolo .... fishmonger
il salumiere................. delicatessen owner

Lavoratori qualificati   Skilled workers
l'artigiano (m) .... craftsman
il costruttore .... builder
il cuoco........................ cook
il dattilografo............... typist
l'elettricista (m, f)........ electrician
il falegname................. carpenter
il giardiniere............... gardener
l'idraulico (m) .... plumber
l'impiegato (m) .... office worker
il meccanico .... mechanic
il segretario................. secretary
il tecnico..................... technician

Altre occupazioni   Other occupations
l'agente di polizia (m, f) ...... policeman
l'agricoltore (m) .... farmer
l'agricoltrice (f) .... farmer
l'arbitro (m)................ referee
l'assistente di volo (m, f) ....air hostess, steward
l'autista d'autobus (m, f) ....bus driver
l'autista di ambulanza (m, f)
.... ambulance driver
l'autista di taxi (m, f)... taxi driver
il bagnino .... lifeguard
il cameriere................. waiter
il, la camionista .... lorry driver
il, la cantante .... singer
il capo .... chef; boss
la casalinga................. housewife
il, la custode .... caretaker
il dietologo .... dietician
il, la dirigente .... executive
l'istruttore (m) .... instructor
l'istruttrice (f)............. instructress
il marinaio.................. sailor
il militare.................... soldier

il minatore................. miner
l'operaio..................... worker
il pescatore................. fisherman
il, la pilota................. pilot
il poliziotto................. policeman
il pompiere................. fireman
il postino .... postman

Il luogo di lavoro   The workplace
l'azienda (f)................ firm, company
la fabbrica .... factory
l'impresa (f) .... firm, company
il laboratorio............... laboratory
il negozio .... shop
l'ospedale (m) .... hospital
la scuola .... school
l'ufficio (m) .... office

all'esterno (m)............ outdoors
all'interno (m)............. indoors

For list of shops see page 54
For list of places of education see page 1
For list of other buildings see page 47

In ufficio   In the office
l'agenda (m)............... diary
l'appuntamento (m)..... appointment
la busta....................... envelope
la cucitrice................. stapler
l'elenco (m) telefonico phone book
il facsimile .... fax
il foglio di carta.......... sheet of paper
l'inchiostro (m) .... ink
la macchina fax .... fax machine
il modulo.................... form
il numero di fax........... fax number
il numero di telefono ....phone number
l'ordinatore (personale) (m)
.... PC, computer
la posta....................... post, mail
il proiettore .... (overhead) projector
i punti........................ staples

74

la riunione .... meeting
la segreteria telefonica .....answering machine
il sindacato .... union
il timbro .... rubber stamp

For other IT words see page 34

Avvisi   Signs and notices

Aperto .... Open
Chiuso .... Closed
Donne.......................... Ladies' toilets
Entrata........................ Entrance
Pericolo (di morte) ...... Danger
Ricezione..................... Reception
Segreteria .... Secretary
Spingere .... Push
Suonare il campanello . Ring the bell
Tirare .... Pull
Uomini .... Men's toilets
Uscita .... Way out, Exit
Uscita di soccorso........ Emergency exit
Uscita fabbrica............. Factory gate
Vietato fumare............. No smoking
Vietato l'ingresso .... No entry

Vantaggi e svantaggi
Advantages and disadvantages

il contratto di lavoro .... contract of
     employment
il lavoro precario .... job with no security
il lavoro all'aperto .... outdoor work
il lavoro all'interno...... indoor work
il lavoro alla catena (di montaggio)
     .... assembly-line work
il lavoro sedentario ...... a desk job
l'orario di lavoro (m)... hours of work
la tredicesima .... 13th month salary
     (at Xmas)

Verbi utili   Useful verbs
acquisire (isc) esperienza
     .... to broaden one's experience
aiutare la gente .... to help people

andare* sulla scena di incidenti *irreg*
     .... to go to scene of accident
arricchirsi* .... to get rich
avere molti contatti umani *irreg*
     .... to have a lot of contact with people
essere* isolato *irreg*..... to be isolated
fare i turni di notte *irreg* .. to do night shifts
fare ricerca *irreg*......... to do research
indossare un' uniforme to wear uniform
inserire (isc) i dati nell'ordinatore
     .... to key in data
lavorare a tempo parziale..... to work part-time
lavorare a tempo pieno
     .... to work full-time
lavorare al fine settimana. to work weekends
lavorare all'aperto .... to work outdoors
lavorare con le cifre..... to work with figures
lavorare giorno e notte. to work day and night
lavorare in proprio....... to be self-employed
lavorare la sera .... to work evenings
ricevere mance .... to get tips
usare l'elaboratore di testi
     .... to use a word processor
usare l'ordinatore .... to use a computer
viaggiare in tutto il mondo
     .... to travel round the world

Qualità   Qualities

l'abilità manuale (f)..... manual dexterity
l'affidabilità (f) .... reliability
la capacità di valutazione....judgement
la cortesia .... politeness
l'intelligenza (f) .... intelligence
la pazienza.................. patience
la bella presenza .... smart appearance
la resistenza alla fatica. not easily tired
la (buona) salute......... good health
il senso artistico........... artistic sense
il senso dell'umorismo sense of humour

affidabile.................... reliable
cortese....................... polite
esperto....................... experienced

75

inesperto...................... inexperienced
intelligente.................. intelligent
lavoratore, lavoratrice.. hard-working
onesto.......................... honest
paziente....................... patient

Verbi utili   Useful verbs
andare* in pensione *irreg* ...to retire
arrivare* in ritardo....... to be late
arrivare* puntuale........ to arrive on time
avere bella presenza *irreg* ...to look smart
cooperare.................... to cooperate

essere* ben organizzato *irreg*
.... to be well-organised
essere* disoccupato *irreg* ...to be unemployed
fare sciopero *irreg* .... to go on strike
guadagnare.................. to earn
interessarsi* di informatica
.... to be interested in IT
lavorare...................... to work
licenziare.................... to lay off, make redundant
mandare un fax............ to fax, send a fax
rispettare i clienti........ to have respect for the
                         customer

Frasi

Che cosa farai l'anno prossimo? *What are you going to do next year?*

Lascio la scuola *I'm going to leave school*

Lavorerò come costruttore con mio padre *I'm going to work as a builder with my father*

Lavorerò come apprendista *I am going to do an apprenticeship*

Vorrei andare all'università *I would like to go to university*

Studierò lingue straniere *I'm going to do modern languages*

Mi parli delle Sue esperienze di lavoro volontario *Could you tell me about your experiences as a voluntary worker?*

LA PUBBLICITÀ

Dove si trova la pubblicità?
Where do you find advertising?

il cartellone (pubblicitario) ... hoarding
il catalogo .... catalogue
il cinema .... cinema
il giornale .... newspaper
l'opuscolo (m) .... brochure
il periodico .... magazine
la radio .... radio
la rivista (illustrata) ..... glossy magazine
la televisione.............. television

Generale   General

l'appartamento (m) ...... flat
l'automobile (f) .... car
la bici(cletta) .... bike
la bicicletta fuoristrada ....mountain bike
la casa........................ house
le casa per vacanze ...... holiday home
il consumatore .... consumer
la consumatrice............ consumer
la convenienza............. good value
la freschezza................ freshness
il gioco di parole.......... pun, play on words
il matrimonio.............. marriage
la morte .... death
la nascita..................... birth
il noleggio .... hiring, hire
la perdita di tempo....... waste of time
il piacere..................... pleasure
i piccoli annunci .... small ads
i prezzi bassi............... low prices
i prodotti..................... products
la qualità..................... quality
la ricompensa .... reward
lo slogan pubblicitario . advertising slogan
le vacanze................... holidays
il valore .... value
la velocità................... speed
la vendita................... sale

Aggettivi   Adjectives

a buon mercato .... cheap
a noleggio................... for hire
conveniente .... good value (price)
d'occasione .... second hand
divertente .... amusing
in liquidazione............. in the sales
in promozione .... on special offer
in vendita .... for sale
istruttivo..................... instructive
interessante................. interesting
meno caro.................... less expensive
molto per poco .... a lot for little
nuovo .... new
nuovo di zecca............. brand new (just made)
prezzo trattabile.......... price negotiable
stupido .... stupid
utile............................ useful

Secondo me   In my opinion

Mi annoia.................... I find it boring
Mi dà sui nervi .... It gets on my nerves
Mi diverte................... I find it funny
Mi fa arrabbiare........... It makes me angry
Mi fa ridere .... It makes me laugh

Verbi utili   Useful verbs

acquistare .... to buy
affittare .... to rent
approfittare di............. to take advantage of
comprare .... to buy
creare un desiderio ...... to create a desire
desiderare................... to want
noleggiare .... to hire
offrire *irreg* .... to offer
perdere *irreg*.............. to lose
ricercare § .... to research
ritrovare .... to find again, get back
scambiare .... to exchange
vendere....................... to sell

AL TELEFONO

Generale   General

l'abbonato (m)............ subscriber

la cabina telefonica...... call box

il, la centralinista........ operator

il, la chiamante............ caller

la chiamata urgente...... emergency call

l'elenco (m) telefonico ....directory

la fessura.................... slot

la macchina fax........... fax machine

la moneta.................... coin

il numero.................... number

il numero di fax........... fax number

il numero sbagliato...... wrong number

la posta elettronica....... e-mail

il prefisso.................... code

il ricevitore................. handset, receiver

la segreteria telefonica.....answering machine

il servizio informazioni

.... directory enquiries

la tariffa..................... rate, charge

la scheda telefonica...... phonecard

la telefonata................ phone call

il telefonino................ mobile phone

il telefono................... telephone

il telefono pubblico...... payphone

la tonalità................... dialling tone

il trasferimento di chiamata

.... transfer charge call

Pronto......................... "Hello"(on the phone)

Attenda la tonalità....... Wait for the dialling code

Componga il numero 113

.... Dial 113 (Police, Ambulance)

Componga il numero 118 . Dial 118 (Fire)

Resti in linea............... Hold the line

fuori servizio.............. out of order

occupato..................... busy, engaged

For numbers see page 93

Dove si può comprare una carta telefonica?
Where can I buy a phonecard?

al bar......................... at the café

all'edicola (m)............. at the news stand

in tabaccheria.............. at the tobacconist's

all'ufficio postale (m).. at the post office

Verbi utili   Useful verbs

ascoltare..................... to listen

avere la comunicazione interrotta *irreg*

.... to be cut off

chiamare..................... to call

chiedere *irreg*............. to ask

comporre il numero *irreg* ...to dial the number

comprare..................... to buy

essere* nell'elenco telefonico *irreg*

.... to be in phone book

fare una chiamata a carico dell'abbonato *irreg*

.... to make a transfer charge call

lasciare un messaggio.. to leave a message

munirsi* di................. to provide oneself with

non apparire sull'elenco *irreg*

.... to be ex-directory

ottenere un numero *irreg* ....to get a number

parlare........................ to speak

riattaccare §................. to hang up

richiamare................... to call back

sollevare il ricevitore... to lift the handset

suonare....................... to ring (of phone)

telefonare................... to phone

Frasi

È un telefono a scheda? *Is it a cardphone?*

Pronto, posso parlare con David, per favore? *Hello, may I speak to David, please?*

Pronto, sono David *David speaking*

Vuole lasciare un messaggio? *Would you like to leave a message?*

La/ti/vi cercano al telefono *You are wanted on the phone*

Per telefonare nel Regno Unito bisogna comporre lo 0044, poi il prefisso della città senza lo zero, poi il numero dell'abbonato *To phone the UK, dial 0044, then the area code without the 0, and then the number of the subscriber*

I SOLDI

Generale	General
il biglietto (di banca)	note
il bilancio	budget
il denaro	money
il denaro contante	cash
la mancetta	pocket money
la moneta	coin
il resto	(small) change
la valuta	currency
la banca	bank
il Bancomat®	cash dispenser
la banconota	banknote
la Borsa	Stock Exchange
la cassa di risparmio	savings bank
il costo della vita	cost of living
l'inflazione (f)	inflation
il mutuo	mortgage
il prestito	loan
i soldi	money
l'ufficio (m) di cambio	exchange
l'assegno (m)	cheque
l'assegno traveller's (m)	travellers' cheque
la carta bancaria	banker's card
la carta di credito	credit card

il codice segreto	PIN number
il conto corrente	current account
il conto di risparmio	savings account
l'Eurochèque (m)	Eurocheque
il libretto di assegni	cheque book
il tasso del cambio	exchange rate
il dollaro	dollar
il franco svizzero	Swiss franc
la lira	lira
la lira sterlina	£, pound sterling
la sterlina irlandese	IR£, Punt

Verbi utili	Useful verbs
acquistare	to buy
avere corso legale *irreg*	to be legal tender
cambiare	to change
essere* allo scoperto *irreg*	to be in the red
fare delle economie *irreg*	to save up
fare un prestito *irreg*	to borrow
pagare §	to pay
pagare § un debito	to pay off a debt
prestare	to lend
rimborsare	to pay back
spendere *irreg*	to spend money
valere* *irreg*	to be worth

VACANZE ED ESCURSIONI

Generale   General

l'autunno (m) .... autumn
la data........................ date
l'estate (f) .... summer
la festa civile .... national holiday
il giorno...................... day
l'inverno (m) .... winter
il mese........................ month
la notte .... night
la primavera .... spring
la settimana .... week

Il turismo   Tourism

la colonia estiva........... summer camp (children)
l'escursione (f) .... outing
l'escursione a piedi (f). long walk
la fiera........................ funfair
la gita scolastica .... school trip
la mezza pensione........ half board
l'oasi naturalistica........ safari park
il parco divertimenti .... amusement park
il parco nazionale .... national park
la passeggiata .... walk
la pensione completa ... full board
il percorso .... itinerary
il picnic .... picnic
il prezzo .... price
la regione.................... region
lo scambio .... exchange
il silenzio.................... silence
il soggiorno .... stay
la traversata .... crossing
le vacanze................... holidays
il viaggio .... journey

l'aeroporto (m) .... airport
l'agenzia di viaggio (f) .... travel agent
l'albergo (m) .... hotel
l'appartamento per vacanze
.... self-catering flat

l'azienda (f) di soggiorno ......local tourist office
la banca...................... bank
il cambio .... exchange (currency)
il campeggio............... camp site
l'ente turismo (m) .... information office
l'ostello della gioventù (m) ...youth hostel
la pensione .... boarding house
il porto .... port
la stazione .... station
la stazione autolinee .... coach station
l'ufficio informazioni (m) .....information office
l'ufficio turismo (m).... tourist office

l'assegno traveller's (m) ...traveller's cheque
il camper .... motorhome, Dormobile®
la carta d'identità........ identity card
la carta della regione ... map of the region
la cartina della città ..... town plan
la foto(grafia) .... photo
la macchina fotografica ....camera
l'opuscolo (m)............. brochure
il passaporto .... passport
la roulotte................... caravan
la tenda....................... tent
la tessera d'associazione ...membership card
la valigia .... case
la videocamera .... camcorder
lo zaino .... rucksack

La gente   People

l'autista di pullman (m, f).... coach driver
il bagnino .... lifeguard
il cameriere .... waiter
il campeggiatore.......... camper
il commesso .... sales assistant
il, la capogruppo.......... group leader
il guardiano dell'ostello....youth hostel warden
il padrone................... owner
il proprietario .... owner
il, la responsabile........ person in charge

il, la ricezionista .... receptionist

il, la turista .... tourist

i vacanzieri .... holiday makers

L'alloggiamento   Lodging

Partecipare a uno scambio
Going on an exchange

l'amico di penna (m) ... penfriend

il cibo .... food

i compiti .... homework

la cucina inglese .... English cooking

la cucina italiana .... Italian cooking

la divisa scolastica .... school uniform

la durata .... length (stay, lesson)

l'escursione (f) .... outing

la famiglia inglese .... English family

la famiglia italiana ...... Italian family

le lezioni .... lessons

la mancetta .... pocket money

il professore .... teacher, lecturer

il programma .... programme

la scuola .... school

gli sport .... sports

il tempo libero .... free time

il viaggio .... journey

paragonare a .... to compare; contrast

L'ostello della gioventù
Youth hostel

il cassonetto dei rifiuti . rubbish bin

l'acqua calda (f) .... hot water

la biancheria .... linen

la coperta .... blanket

la cucina .... kitchen

il dormitorio .... dormitory

il lenzuolo per sacco a pelo
.... sheet sleeping bag

il refettorio .... dining room

il soggiorno .... day room

l'ufficio (m) .... office

Il campeggio   Campsite

l'acqua potabile (f) .... drinking water

l'acqua non potabile (f) ... non drinking water

l'allacciamento (m) ..... electric hook-up

l'attrezzatura da campeggio (f)
.... camping equipment

la bacinella .... washing bowl

il blocco toelette .... toilet block

la bombola a gas .... gas cyclinder

il bucato .... laundry

il campeggiatore .... camper

il campeggio .... campsite, camping

il coltellino .... pocket knife

la cucina a gas .... gas cooker

l'elettricità (f) .... electricity

i fiammiferi .... matches

il fuoco da campo .... camp fire

il lavaggio .... washing (clothes)

la lavatrice .... washing machine

il lavello .... washing up sink

il lettino da campo .... camp bed

il noleggio bici .... cycle hire

i piatti da asporto .... cooked take-away meals

la pila .... torch

la piscina (riscaldata) ... (heated) swimming pool

la piscina all'aperto ..... open air pool

la piscina coperta .... indoor pool

il posto tenda .... pitch

le provviste .... food, provisions

la ricezione .... reception

la roulotte .... caravan

il sacco a pelo .... sleeping bag

la sala da giochi .... games room

il supplemento .... supplement

la tenda .... tent

la tessera di campeggio .... camping carnet

il veicolo .... vehicle

In albergo   At a hotel

l'ascensore (m) .... lift

il bagno .... bath

la camera .... room

la camera doppia .... double room

la chiave .... key

il corridoio .... corridor

la doccia .... shower
l'entrata (f) .... entrance
i gabinetti .... toilets
il letto .... bed
il letto matrimoniale .... double bed
il modulo .... form
il parcheggio .... car park
il piano .... storey, floor
il piano terreno .... ground floor
il prezzo .... price
la ricezione .... reception
il ristorante .... restaurant
la sala da bagno .... bathroom
la scala .... stairs
il sottosuolo .... basement
il televisore .... TV set
l'uscita (f) di soccorso . emergency exit

l'armadio (m) .... wardrobe
l'asciugamano (m) .... towel
la coperta .... blanket
il cuscino .... pillow
le lenzuola (f pl) .... sheets
il lenzuolo (m) .... sheet
il portabiti .... coathanger
il sapone .... soap
il telefono .... telephone

Per quanto tempo?   For how long?
il giorno .... day
il mese .... month
la notte .... night
la settimana .... week
due settimane .... fortnight

per tre giorni .... for three days
per quattro notti .... for four nights

Per quante persone? For how many?
l'adulto (m) .... adult
il bambino .... child
sotto i tre anni .... under three
la ragazza .... girl

il ragazzo .... boy
la persona .... person

For numbers see page 93
For other family words see page 27
For countries, towns, regions see page 91
For how to express opinions see page 40

Quando siete andati? When did you go?
l'anno scorso (m) .... last year
l'altro ieri .... the day before yesterday
ieri .... yesterday
due mesi fa .... two months ago
quindici giorni fa .... a fortnight ago
la settimana scorsa .... last week
durante il fine settimana ...during the weekend

Quando andrete?   When will you be going?
a Natale .... at Christmas
a Pasqua .... at Easter
in agosto .... in August
fra una settimana .... in a week's time
fra tre mesi .... in three months' time
domani .... tomorrow
l'anno prossimo (m) .... next year
durante le vacanze estive
.... during the summer holidays
la settimana prossima .. next week
dopodomani .... the day after tomorrow

Con chi?   With whom?
la famiglia .... family
l'amico (m) .... friend
l'amico di penna (m) ... penfriend
il compagno .... friend
i cugini .... cousins
i colleghi .... workmates

Cosa avete mangiato? What did you eat?
la colomba .... Easter cake
la cotoletta alla milanese ..schnitzel
la cucina cinese .... Chinese cooking, food
la cucina indiana .... Indian cooking, food
la cucina italiana .... Italian cooking, food

i frutti di mare .... shellfish
l'hamburger (m) .... hamburger
l'insalata mista (f)........ mixed salad
le melanzane al forno... baked aubergines
la minestra di legumi ... vegetable soup
la pasta al forno .... oven-baked pasta
il panettone................. Italian Christmas cake
il petto di tacchino .... breast of turkey
il pollo alla cacciatora.. chicken hunter-style
la specialità regionale .. local speciality
la zuppa di pesce.......... fish soup

For recipe words see page 58
For other foods see pages 24, 55

Al mare   At the seaside
il bagnino .... lifeguard
la barca (da pesca) .... (fishing) boat
la barca a motore .... motor boat
la barca a remi .... rowing boat
la cabina .... beach hut
la canna da pesca .... fishing rod
il cappello da sole .... sunhat
il castello di sabbia ...... sandcastle
le conchiglie .... shells
il gabbiano.................. seagull
il gelataio.................... ice cream seller
il gelato .... ice cream
il gommone .... inflatable dinghy
la medusa .... jellyfish
gli occhiali da sole .... sunglasses
l'olio solare (m).......... sun oil
l'onda (f) .... wave (sea)
la paletta.................... spade
il panfilo..................... yacht
il pedalò..................... pedalo
le pietre .... shingle
il riccio...................... sea urchin
la sabbia .... sand
il salvagente................ lifebelt
il secchiello .... bucket
la sedia a sdraio .... sunbed
il soccorso d'emergenza... first aid post

la spiaggia .... beach
la spiaggia (non) sorvegliata
.... (un)supervised beach
la tavola a vela .... sailboard
il veliero..................... sailing ship

la banchina .... quay
la bassa marea .... low tide
il faro .... lighthouse
il mare....................... sea
la marea alta............... high tide
il pescatore .... fisherman
il porto .... port
il porto per imbarcazioni .. yacht marina
la scogliera .... cliff

Gli sport invernali Winter sports
Le persone   People
il, la principiante .... beginner
la guida (m, f) .... guide
l'istruttore di sci (m).... ski instructor
l'istruttrice di bob (f)... bob instructor
lo sciatore................... skier
la sciatrice .... skier

La stazione sciistica   Ski resort
lo chalet..................... chalet
il fiocco di neve........... snowflake
l'impianto di risalita (m).. ski lift
la montagna................ mountain
il negozio di sci .... ski shop
la neve....................... snow
la palla di neve .... snowball
il pendìo .... slope
la pista...................... piste, ski run
la pista di pattinaggio .. ice rink
il pupazzo di neve........ snowman
la sciovia .... T-bar
la seggiovia .... chair lift
lo spazzaneve .... snow-plough
la teleferica................. cable car
la tempesta di neve ...... snowstorm
la valanga................... avalanche

L'attrezzatura da sci Skiing equipment
il bastoncino da sci ...... ski pole
il berretto (di lana)....... (woollen) hat
il guanto .... glove
i pantaloni da sci.......... ski pants
la salopette .... salopette
gli scarponi da sci........ ski boots
lo sci............................ ski

Le escursioni   Outings

La riserva safari   Safari park
l'animale (m)............... animal
il pesce .... fish
il rettile....................... reptile
l'uccello (m)................ bird

l'artiglio (m)................ claw
la coda........................ tail
il muso .... face (animal)
il tronco...................... trunk
la zampa .... paw

il cammello................. camel
il coccodrillo .... crocodile
l'elefante (m)............... elephant
la foca .... seal
la giraffa..................... giraffe
il leone .... lion
la lontra .... otter
il lupo......................... wolf
l'orso (m) (polare) .... (polar) bear
il rinoceronte .... rhinoceros
la scimmia.................. monkey
lo scimpanzè............... chimpanzee
il serpente................... snake
la tigre .... tiger
la zebra....................... zebra

equatoriale.................. equatorial
marino........................ marine
polare .... polar
tropicale .... tropical

La fattoria e il bosco Farm and woodland
il campo .... field
la grangia .... barn
la stalla....................... stable

l'agnello (m) .... lamb
l'anatra (f) .... duck
l'asino (m).................. donkey
il cane .... dog
la capra....................... goat
il cavallo .... horse
il coniglio................... rabbit
la gallina .... hen
il gallo........................ cockerel
il gatto........................ cat
il maiale .... pig
la mucca..................... cow
l'oca (f) .... goose
la pecora..................... sheep
il pulcino.................... chick
la rana .... frog
il ranocchio .... toad
il riccio....................... hedgehog
lo scoiattolo................ squirrel
il tacchino .... turkey
il topo......................... rat
il topolino................... mouse
il toro .... bull, bullock
il vitello...................... calf
la volpe .... fox

For insects see page 89

Il picnic   Picnic
Dove andate?   Where are you going?
l'area per picnic (f)...... picnic area
alla spiaggia .... to the beach
in campagna .... in the country
in montagna .... to the mountains
nella foresta................ in the forest

For weather see page 51
For food and drink for a picnic see page 55

Com'era? — What was it like?

affollato...................... crowded
al sole.......................... sunny, in the sun
all'ombra..................... shady, in the shade
altro............................ other
bello .... beautiful
chiassoso .... noisy
completo...................... full
compreso..................... included
confortevole .... comfortable
da asporto .... take-away
di gran lusso *inv*........... luxurious
disponibile.................. available
fantastico .... fantastic
grande .... big
grazioso...................... pretty
industriale................... industrial
magnifico .... superb
molto confortevole ...... very comfortable
non caro...................... not dear
non compreso .... not included
obbligatorio .... compulsory
occupato .... taken
panoramico................. scenic
pittoresco.................... picturesque
privato......................... private
proibito....................... not allowed
rumoroso .... noisy
storico .... historic
tranquillo.................... peaceful
turistico .... popular with tourists
tutto l'anno .... all year round

Verbi utili — Useful verbs

aiutare .... to help
andare* (in visita) da *irreg*.... to visit (person)
andare* a cavallo *irreg*. ... to ride
andare* *irreg* .... to go
aprire *irreg* .... to open
bagnarsi*..................... to bathe
camminare................... to walk
cercare § .... to look for
chiudere *irreg* .... to close

costare......................... to cost
essere* in vacanza *irreg*... to be on holiday
(andare* a) fare una passeggiata* *irreg*
.... to go for a walk
giocare § (a) .... to play
mettersi* in cammino *irreg* ...to set out
nuotare .... to swim
pagare §...................... to pay (for)
partire*per le vacanze.. to go on holiday
passare quindici giorni. to spend a fortnight
passeggiare................. to walk, stroll
rimanere* *irreg* .... to stay
ringraziare.................. to thank
vedere *irreg*............... to see
viaggiare .... to travel
visitare .... to visit (place)

abbronzarsi*............... to sunbathe
andare* in slitta *irreg* .. to go sledging
annegare*................... to drown
avere il mal di mare *irreg* .... to be seasick
campeggiare .... to camp
cucinare...................... to cook
divertirsi*................... to have a good time
fare alpinismo *irreg* ..... to go mountaineering
fare campeggio *irreg* ... to go camping
fare un'escursione a piedi *irreg*
.... to go for a hike
fare un giro in barca *irreg*
.... to go out in a boat
fare sci di fondo *irreg*
........................to do cross country ski-ing
fare sci nautico *irreg*.... to water ski
fare una settimana bianca *irreg*
.... to take a winter holiday
fare surf *irreg* .... to surf
fare tavola a vela *irreg*. to sailboard
fare vela *irreg*............. to sail
galleggiare.................. to float
montare una tenda .... to pitch a tent
noleggiare .... to hire, let
partire* in aereo .... to leave by plane
portare un picnic.......... to take a picnic

remare .... to row   tuffarsi* .... to dive
sciare .... to ski

Frasi

Ho passato le vacanze estive al mare *I spent the summer holidays by the sea*

L'anno scorso ho visitato la Grecia *I visited Greece last year*

Abbiamo fatto campeggio in Francia *We went camping in France*

Sono andato con la mia famiglia *I went with my family*

Abbiamo passato quindici giorni in montagna *We spent a fortnight in the mountains*

Durante le vacanze di Pasqua andrò in Spagna *I shall be going to Spain in the Easter holidays*

Andrò a sciare nelle Dolomiti a Natale *I shall be going skiing in the Dolomites at Christmas*

Vorrei prenotare una camera con bagno per due persone *I would like to reserve a room, with a bath, for two people*

Contiamo di rimanere tre notti *We are planning to stay three nights*

A che ora è la prima colazione? *What time is breakfast?*

Scusi, dove si può parcheggiare la macchina? *Where may I park the car, please?*

C'è un ristorante vicino all'albergo? *Is there a restaurant near the hotel?*

Non c'è più sapone *There is no soap left*

IL MONDO INTERNAZIONALE

Generale	General
i paesi industrializzati	.. developed countries
i paesi in via di sviluppo	
.... developing countries	
i paesi ricchi .... rich countries	
il terzo mondo .... the third world	
l'aggressività (f) .... aggression	
l'analfabetismo (m) ..... illiteracy	
l'asilo politico (m) .... political asylum	
il capitalismo .... capitalism	
il colore della pelle ...... skin colour	
il comunismo .... communism	
la corruzione .... corruption	
le grandi imprese .... big business	
la legge della giungla ... law of the jungle	
la malattia .... illness	
la malattia mentale ...... psychiatric illness	
l'opinione politica (f)... political opinion	
la polizia segreta .... secret police	
la povertà .... poverty, destitution	
il pregiudizio .... prejudice	
il profugo .... refugee	
la religione .... religion	
il, la senza tetto .... homeless person	
il socialismo .... socialism	
il terrorismo .... terrorism	
l'uguaglianza (f) .... equality	

Verbi utili — Useful verbs

ammazzare .... to kill
chiedere asilo *irreg* .... to seek asylum
dare asilo *irreg* .... to give asylum
rispettare .... to have respect for
sfruttare .... to exploit
suicidarsi* .... to commit suicide
tollerare .... to have tolerance for
torturare .... to torture
uccidere *irreg* .... to kill

La storia e la politica — History and politics

Le persone	People
il deputato (parlamentare)...MP	
il, la presidente .... president	
il principe .... prince	
la principessa .... princess	
il re .... king	
la regina .... queen	
la borghesia .... middle class	
la classe operaia .... working class	
la democrazia .... democracy	
il fascismo .... fascism	
il governo .... government	
la guerra .... war	
la guerra civile............ civil war	
la prima guerra mondiale.......World War 1	
la seconda guerra mondiale ...World War 2	
la monarchia .... monarchy	
la nazione .... nation	
la pace .... peace	
il paese .... country	
il parlamento .... parliament	
il partito .... party (political)	
il Rinascimento .... Renaissance	
la repubblica .... republic	
il Risorgimento........... Risorgimento	
la rivoluzione (industriale) .... (industrial) revolution	
lo stato .... state	
l'unificazione d'Italia .. unification of Italy	

La geografia — Geography

l'altopiano (m) .... plateau
il canale .... canal
la cascata .... waterfall
la catena di montagne .. mountain range
la città .... town
il colle .... mountain pass

la collina...................... hill
il continente................ continent
il fiume........................ river (large)
la foresta tropicale .... rain forest
il ghiacciaio................ glacier
la montagna................ mountain
il paese .... country
la pianura.................... plain
il picco .... peak
la provincia................. province
la regione.................... region
la scogliera .... cliff
il torrente.................... stream
la valle........................ valley
il villaggio.................. village

La protezione dell'ambiente
Conservation

la causa....................... reason, cause
la conseguenza............. consequence
l'effetto (m)................. effect
l'energia (f) .... energy
il futuro .... future
il mondo...................... world
la natura .... nature
il pianeta..................... planet
la ragione.................... reason
il sole.......................... sun
lo spazio .... space
la terra........................ earth

l'ambiente (m)............. environment
il clima .... climate
il deserto..................... wilderness
la conservazione d'energia
.... energy conservation
l'equilibrio naturale (m).... natural balance
la fauna....................... animals, fauna
la fauna marina............ marine life
la flora........................ plants, flora
la foresta..................... forest
la natura .... nature, wilderness

lo strato dell'ozone...... ozone layer
il sistema ecologico ..... ecosystem
gli uccelli .... bird life

Catastrofi   Disasters

l'alluvione (f).............. flood
il cambiamento climatico .change in climate
la carestia .... famine
i danni dell'inquinamento
.... ravages of pollution
il disboscamento.......... deforestation
l'effetto serra (m)........ greenhouse effect
l'epidemia (f).............. epidemic
l'eruzione vulcanica (f) ... volcanic eruption
l'esplosione (f)............ explosion
l'incendio (m)............. fire
l'inquinamento urbano (m).. urban pollution
le mancanza di pioggia........ lack of rain
l'onda di marea (f) ...... tidal wave
lo sgelo....................... thawing
la siccità .... drought
il terremoto .... earthquake
il tornado.................... tornado
la valanga................... avalanche

Le cause dell'inquinamento
Sources of pollution

l'acido (m) .... acid
l'ammasso di scorie (m) ...slag heap
il bosco....................... wood
il carbone .... coal
il carburante .... fuel
la centrale elettrica ...... power station
la centrale nucleare...... nuclear power station
la circolazione .... traffic
i combustibili fossili.... fossil fuels
le emissioni di gas .... exhaust gases
la fabbrica .... factory
il fall-out radioattivo ... radioactive fall-out
il gas naturale.............. natural gas
l'industria mineraria (f) ....coal industry
le industrie chimiche ... chemical industries

la macchia di petrolio .. oil slick

la marmitta .... exhaust pipe

la metaniera .... gas tanker

il pesticida .... pesticide

la petroliera .... oil tanker

la pioggia acida............ acid rain

la raffineria di petrolio. ... oil refinery

il tubo di scappamento. ... exhaust pipe

I rifiuti domestici   Domestic waste

la carta......................... paper

la lattina d'acciaio .... steel can

la lattina d'alluminio.... aluminium can

la materia plastica........ plastic

il metallo .... metal

il riciclaggio dei rifiuti. waste recycling

il sacchetto di plastica.. plastic bag

il vetro......................... glass

marrone .... brown

trasparente................... clear

verde .... green

La fauna   Fauna

Gli insetti   Insects

l'ape (f) .... bee

il bruco........................ caterpillar

la coccinella................. ladybird

la farfalla .... butterfly

la formica .... ant

la mosca .... fly

il ragno........................ spider

la tarma .... moth

la vespa .... wasp

la zanzara .... mosquito

Gli uccelli   Birds

il cigno .... swan

il condor .... condor

il gufo.......................... barn owl

il rapace...................... bird of prey

l'uccello acquatico (m) .... waterfowl

l'uccello migratore (m).... migratory bird

Le speci minacciate di estinzione
Endangered species

la balena blu .... blue whale

il delfino..................... dolphin

l'orang-outang (m) ...... orang-utan

l'orso polare (m) .... polar bear

il panda gigante .... giant panda

il pescecane .... shark

For other animals see page 84

l'avorio (m)................ ivory

la biada....................... fodder

il cadavere.................. corpse

l'habitat (m) .... habitat

la pelliccia.................. fur

il plancton .... plankton

la zanna d'avorio........ tusk

La flora   Flora

l'albero (m) .... tree

l'alga marina (f) .... sea algae

il bosco....................... wood

la campanula .... bluebell

la conifera .... fir tree

il fiore .... flower

i fiori selvatici .... wild flowers

la foresta .... forest

l'olmo (m).................. elm

il pino......................... pine tree

la primula................... primrose

la quercia.................... oak

Aggettivi   Adjectives

bagnato....................... wet

caldo .... hot

coperto .... cloudy, overcast

criminale .... criminal

dolce .... soft, gentle

ecologico.................... ecological

ferito .... injured, wounded

freddo......................... cold

irreversibile .... irreversible

meridionale .... southern

nucleare .... nuclear
ripido .... steep
rumoroso .... noisy
scuro .... dark, gloomy
settentrionale .... northern
terribile .... awful
tiepido .... mild, lukewarm
umido .... humid, wet
urbano .... urban

Verbi utili   **Useful verbs**
abbassarsi* .... to fall (temperature)
avvelenare .... to poison
bruciare .... to burn, parch
cadere* *irreg* .... to fall (temperature)
coltivare .... to grow, cultivate
condannare .... to condemn, doom
distruggere *irreg* .... to destroy
eccedere .... to exceed
inquinare .... to pollute

limitare i danni .... to limit the damage
migliorare .... to improve
minacciare .... to threaten
produrre un clima *irreg* ... to produce a climate
proteggere *irreg* .... to conserve, protect
raccogliere *irreg* .... to pick
respirare .... to breathe
riciclare .... to recycle
rubare .... to steal
salire* .... to rise (temperature)
salvare .... to save
scaricare in mare .... to dump at sea
           (oil, chemicals)
seccare § .... to parch, dry out
soffrire *irreg* .... to suffer
sospettare .... to suspect
spandere .... to spread
spogliare .... to despoil
sprecare § .... to waste
uccidere .... to kill

I PAESI, LE REGIONI E LE CITTÀ

L'Unione Europea   The European Union

Paese Country	Meaning	Lingua Language	Abitante Inhabitant	Aggettivo Adjective
l'Inghilterra (f)	England	l'inglese	un(') inglese	inglese
la Scozia	Scotland	l'inglese	uno(a) scozzese	scozzese
l'Irlanda del Nord (f)	N Ireland	l'inglese	un(') irlandese	irlandese
l'Irlanda (l'Eire) (f)	Irish Republic	l'irlandese, l'inglese	un(') irlandese	irlandese
il Galles	Wales	il gallese, l'inglese	un(a) gallese	gallese
la Germania	Germany	il tedesco	un(a) tedesco(a)	tedesco
l'Austria (f)	Austria	il tedesco	un(') austriaco(a)	austriaco
il Belgio	Belgium	il francese, il fiammingo	un(a) belga	belga
la Danimarca	Denmark	il danese	un(a) danese	danese
la Spagna	Spain	lo spagnolo	uno(a) spagnolo(a)	spagnolo
la Finlandia	Finland	il finlandese	un(a) finlandese	finlandese
la Francia	France	il francese	un(a) francese	francese
la Grecia	Greece	il greco	un(a) greco(a)	greco
l'Italia (f)	Italy	l'italiano	un(') italiano(a)	italiano
il Lussemburgo	Luxembourg	il francese, il tedesco	un(a) lussemburghese	lussemburghese
I Paesi Bassi,l'Olanda	Netherlands	l'olandese	un(a) olandese	olandese
il Portogallo	Portugal	il portoghese	un(a) portoghese	portoghese
la Svezia	Sweden	lo svedese	uno(a) svedese	svedese

Altri paesi   Other countries

l'Africa del Sud (f) ...... South Africa
le Antille .... West Indies
l'Argentina (f) .... Argentina
l'Australia (f)............... Australia
il Bangladesh.............. Bangladesh
le Bermuda .... Bermuda
il Brasile..................... Brazil
il Cile .... Chile
la Cina........................ China
la Colombia................ Columbia
la Giamaica .... Jamaica
il Giappone................. Japan
l'India (f).................... India
le isole Seychelles........ Seychelles

il Libano .... Lebanon
il Lussemburgo .... Luxembourg
il Marocco.................. Morocco
la Norvegia .... Norway
la Nuova Zelanda .... New Zealand
il Pakistan .... Pakistan
la Polonia................... Poland
la Repubblica Ceca...... Czech Republic
il Ruanda.................... Rwanda
la Russia..................... Russia
gli Stati Uniti .... USA
la Svezia..................... Sweden
la Svizzera.................. Switzerland
la Thailandia .... Thailand
l'Ungheria.................. Hungary
il Vietnam .... Vietnam

Le regioni   Regions
Italy

l'Alto Adige (m).......... South Tyrol
la Lombardia .... Lombardy
il Lazio .... Latium
il Mezzogiorno .... South of Italy
la Pianura padana .... Po Valley
il Piemonte .... Piedmont
la Riviera ligure........... Italian Riviera
la Sardegna................. Sardinia
la Sicilia .... Sicily
la Toscana .... Tuscany
la Valle d'Aosta........... Aosta Valley

Britain

la Cornovaglia .... Cornwall
le (isole) Ebridi........... Hebrides
l'isola di Man .... Isle of Man
le (isole) Orcadi........... Orkney Isles
la regione dei laghi ..... Lake District

Le città   Towns

l'Aia (f) .... The Hague
Algeri .... Algiers
Anversa .... Antwerp
Atene.......................... Athens
Berna.......................... Berne
Bruxelles .... Brussels
Edimburgo .... Edinburgh
Firenze .... Florence
Francoforte................. Frankfurt
Genova....................... Genoa
Ginevra .... Geneva
Lione.......................... Lyons
Lisbona .... Lisbon
Livorno .... Leghorn
Londra........................ London
Losanna...................... Lausanne
Marsiglia .... Marseilles
Milano........................ Milan
Monaco .... Munich
Mosca......................... Moscow

Praga........................... Prague
Roma .... Rome
Siviglia .... Seville
Torino......................... Turin
Varsavia...................... Warsaw
Venezia....................... Venice
Zurigo......................... Zurich

Mari, montagne e fiumi
Seas, mountains and rivers

la Manica .... English Channel
il Mar Baltico.............. Baltic Sea
il Mar d'Irlanda........... Irish Sea
il Mar del Nord .... North Sea
il Mar Ionio................. Ionian Sea
il Mar Ligure............... Ligurian Sea
il Mar Morto .... Dead Sea
il Mar Nero .... Black Sea
il Mar Rosso................ Red Sea
il Mar Tirreno .... Tyrrhenian Sea
il Mare Adriatico......... Adriatic Sea
il Mediterraneo............ Mediterranean
lo Stretto di Dover........ Straits of Dover

l'Oceano Atlantico (m) ... Atlantic Ocean
l'Oceano Indiano (m) ...... Indian Ocean
l'Oceano Pacifico (m) ..... Pacific Ocean

le Alpi......................... Alps
gli Appennini .... Appennines
il Cervino.................... The Matterhorn
le Dolomiti.................. Dolomites
il Monte Bianco .... Mont Blanc
i Pirenei .... Pyrenees

l'Arno (m).................... Arno
il Po .... Po
il Reno .... Rhine
il Rodano .... Rhone
la Senna .... Seine
il Tamigi .... Thames
il Tevere..................... Tiber

I NUMERI, L'ORA E LA DATA

I numeri cardinali   Cardinal numbers

0	zero	20	venti	90	novanta
1	uno, una	21	ventuno	100	cento
2	due	22	ventidue	101	centuno
3	tre	23	ventitré	105	centocinque
4	quattro	24	ventiquattro	108	centotto
5	cinque	25	venticinque	110	centodieci
6	sei	26	ventisei	150	centocinquanta
7	sette	27	ventisette	300	trecento
8	otto	28	ventotto	308	trecento e otto
9	nove	29	ventinove	400	quattrocento
10	dieci	30	trenta	406	quattrocentosei
11	undici	31	trentuno	1000	mille
12	dodici	38	trentotto	2000	duemila
13	tredici	39	trentanove	10.000	diecimila
14	quattordici	40	quaranta	12.030	dodicimilatrenta
15	quindici	41	quarantuno	500.000	cinquecentomila
16	sedici	50	cinquanta		(mezzo millione)
17	diciassette	60	sessanta	1.000.000	un milione
18	diciotto	70	settanta	5.000.000	cinque milioni
19	diciannove	80	ottanta	1.000.000.000	un milliardo

Remember that: Numbers (and years) in Italian are written as one word.

La data   The date

Oggi è il primo settembre	Today is September 1st
Oggi è il due gennaio	Today is January 2nd
Oggi è l' otto marzo	Today is March 8th
Oggi è l' undici aprile	Today is April 11th
Oggi è il diciannove maggio	Today is May 19th
Oggi è il dodici luglio	Today is July 12th
Il mio compleanno è il 10 novembre	My birthday is November 10th
Sono nato(a) nel millenovecentottantadue	I was born in 1982

I numeri ordinali

Ordinal numbers

Remember that these behave like adjectives and agree with the noun they describe as shown in the first two examples

primo, prima, primi, prime
.... first
secondo, seconda, secondi, seconde
.... second
terzo .... third
quarto .... fourth
quinto .... fifth
sesto .... sixth
settimo......................... seventh
ottavo .... eighth
nono .... ninth
decimo......................... tenth

undicesimo .... eleventh
dodicesimo .... twelfth
tredicesimo................. thirteenth
quattordicesimo.......... fourteenth
quindicesimo.............. fifteenth
sedicesimo.................. sixteenth
diciassettesimo .... seventeenth
diciottesimo................ eighteenth
diciannovesimo .... ninteenth
ventesimo................... twentieth
ventunesimo................ twenty-first
ventiduesimo.............. twenty-second

Che ore sono?

What time is it?

È l'una..It is one o'clock
Sono le due...It is two o'clock
Sono le tre e cinque ....It is five past three
Sono le quattro e dieci ....It is ten past four
Sono le cinque e un quarto...................................It is quarter past five
Sono le sei e venti...It is twenty past six
Sono le sette e venticinque..................................It is twenty five past seven
Sono le otto e mezzo (Sono le otto e trenta).............It is half past eight
Sono le due meno venticinque ....It is twenty five to two
Sono le tre meno venti...It is twenty to three
Sono le quattro meno un quarto ....It is quarter to four
Sono le cinque meno dieci....................................It is ten to five
Sono le sei meno cinque.. ....It is five to six

È mezzogiorno ....It is midday, noon
È mezzogiorno e cinque ....It is five past twelve (midday)
È mezzogiorno e un quarto...................................It is quarter past twelve
È la mezza (È mezzogiorno e mezza) ....It is half past twelve (midday)
È mezzogiorno meno un quarto ....It is quarter to twelve
È mezzanotte...It is midnight
È mezzanotte e dieci..It is ten past twelve (night)
È mezzanotte e mezza..It is half past twelve (night)
È mezzanotte meno dieci ....It is ten to twelve (night)

In Italian, the 24 hour clock is used for giving official times (on the radio etc) and to avoid misunderstandings.

Sono le ore venti (20h) .... 20.00   It is eight pm
Sono le ore ventidue e quindici (22h15) .... 22.15   It is a quarter past ten pm
Sono le ore diciotto e trenta (18h30) .... 18.30   It is six thirty pm
Sono le ore tredici e quarantacinque (13h45) .... 13.45   It is one forty-five pm

Mattino, pomeriggio e sera

il giorno .... the day
la giornata .... the day (duration)
la notte .... the night
la nottata .... the night (duration)
la mattina .... morning
la mattinata .... morning (duration)

Parts of the day

il pomeriggio .... afternoon
la sera .... evening
la serata .... evening (duration)
ogni giorno .... every day
tutti i giorni .... every day
a giorni alterni .... on alternate days

I giorni della settimana

lunedì .... Monday
martedì .... Tuesday
mercoledì .... Wednesday
giovedì .... Thursday

Days of the week

venerdì .... Friday
sabato .... Saturday
domenica .... Sunday

I mesi dell'anno

gennaio .... January
febbraio .... February
marzo .... March
aprile .... April
maggio .... May
giugno .... June

Months of the year

luglio .... July
agosto .... August
settembre .... September
ottobre .... October
novembre .... November
dicembre .... December

ABBREVIAZIONI E SIGLE

a.C. (avanti Cristo) .... BC

A.C.I. (Automobile Club d'Italia) .... Italian Automobile Association

ALITALIA (Aerolinee Italiane Internazionali) .... Italian airline

C.A.P (Codice di avviamento postale) .... postcode

C.P. (Casella Postale) .... Post office box

cm (centimetro) .... centimetre

cm q (centimetro quadrato) .... square centimetre

d.C. (dopo Cristo) .... AD

Dir. (Direttore) .... manager, director

dott. (Dottore) .... person holding a university degree

dr. (dottore in medicina) .... doctor

dr.ssa (dottoressa in medicina) .... lady doctor

dz (dozzina) .... dozen

E.N.I.T. (Ente Nazionale per il Turismo) .... National Tourist Office

E.P.T. (Ente Provinciale per il Turismo) .... Provincial Tourist Office

es. (esempio) .... example

F.I.F.A. (Federazione Internazionale Calcio) .... International Football Association

F.lli (Fratelli) .... Brothers (business)

FF SS (Ferrovie dello Stato) .... Italian State Railways

H (ospedale) .... Hospital

I.V.A. (Imposta sul Valore Aggiunto) .... VAT

L.it. (lire italiane) .... Italian lire

L.st. (lira sterlina) .... pound (sterling)

mitt. (mittente) .... sender (mail)

POLSTRADA (Polizia Stradale) .... Highway Police

PP.TT. (Poste e Telecomunicazioni) .... Post Office

P.zza (piazza) .... square

pl. (piazzale) .... square

R.A.I. (Radiotelevisione Italiana) .... Radio/TV broadcasting corporation

Rev., Rev.mo (Reverendo, Reverendissimo) .... (Right) Reverend

Sig. (Signore) .... Mr

Sig.a (Signora) .... Mrs, Ms

Sig.na (Signorina) .... Miss, Ms

Sigg. (Signore e Signori) .... Messrs

S.r.l. (Società a responsabilità limitata) .... Limited company

U.E. (l'unione europea) .... EU (European Union)

V.F., V.d.F. (Vigili del Fuoco) .... Fire Brigade

v.le (viale) .... avenue

v.o. (versione originale) .... with the original soundtrack

Vs. (Vostro) .... Your (in business letters)

VV.UU. (Vigili Urbani) .... Traffic police